パラタクシス詩学

パラタクシス詩学

野村喜和夫＋杉中昌樹

水声社

目次

凡例

『パラタクシス詩学』は杉中昌樹と野村喜和夫の往復書簡から成るが、各章の往復書簡は、つぎのガイドラインに沿って交わされる。

第一信（杉中→野村）　コンセプトの提示と説明
第二信（野村→杉中）　コンセプトに沿った実践（詩作）
第三信（杉中→野村）　実践へのコメント、批評、および実践を通してのコンセプトの深化あるいは拡張
第四信（野村→杉中）　第三信を受けての感想、場合によっては再度の実践

序文

パラタクシス詩学とは何か。

現代詩は難解だと言われる。しばしば、シンタックスが崩壊していたり、意味不明の言葉が羅列されていたりする。それが、無意味になれば、単なる出鱈目である。そこには、何らかの意味や、原理のようなものがなくてはならない。

ドイツの詩人ヘルダーリンの詩にやはりシンタックスの崩壊したような詩があり、そこに、パラタクシスという概念を当て嵌めて説明したのが、フランクフルト学派の哲学者アドルノだった。パラタクシスは、複数の文章を、交差させ、それがランダムに行われているようにみえるので、シンタックスが崩壊しているように感じられる。

私たちのパラタクシス詩学は、まず杉中が詩のシンタックスを崩壊させたり、詩を難解化させたりするための原理のようなもの、概念的なものを提示し、その概念を基にして、野村が、実践編として具体的に詩の形にするというものである。

野村は非常に困難な役回りを演じている。ヘルダーリンは、パラタクシスという概念に基づいてシンタックスの崩壊した詩を書いたわけではない。ヘルダーリンの詩を説明するためにアドルノがパラタクシスという概念を用いただけである。だが、野村は、杉中が提示する厚みのないパラタクシスという概念に肉付けして、新たな詩を作らねばならない。杉中が提示する細い骨のような概念の数々に、野村は次々に血を通わせ、詩へと肉付けしていく。

概念はパラタクシス以外にも、さまざまに提示され、その都度、野村はそれを鮮やかに詩にしていく。パラタクシス詩学は、新たな詩の書き方の提案でもある。

パラタクシス詩学の中で、中間休止というヘルダーリンが用いた概念を杉中が提示すると、野村は、それを俳句の切れのようなものだと言っている。同じく俳句の比喩で言うと、パラタクシス詩学の、往復書簡という体裁は、俳諧の付け合いのようなものと言えるのではないだろうか。杉中が概念を提示する。それに対して、野村が詩を書く。さらに、野村の詩に杉中がコメントする。さらに、それに対して野村がコメントする。お互い少しずつずらして、コメントしていく様は、俳諧の付け合いのようなものではないだろうか。

共同で書く。それは、アンドレ・ブルトンがシュルレアリスムを作った時に用いた原理的な方法であった。ブルトン＝スーポーの『磁場』（一九三〇）の複数性は、普遍性を得るための方途でもあった。だが、その複数性から普遍性へということであれば、日本にも俳諧の座という方法があった。パラタクシス詩学は、詩の難解さを方法化するという柱と、共同で書くという柱、二本の柱を持っている。
　パラタクシス詩学という書物全体が、ひとつの原理論であると同時にひとつの詩なのである。

杉中昌樹

1　パラタクシス

第一信　杉中↓野村

パラタクシス

並列、と訳される。なぜ、言葉は並列されるのか。例えば、ひとつのシンタックスに、もうひとつのシンタックスを並列する。二つのシンタックスが同時に並列され、ばらばらに進行していく。文章は、ひとつの文脈として読まれることが望まれる。だが、文脈が、一方通行ではなく、二股、三股に分かれて進行していく。ひとつのもの、単一のものに、収斂しない、文章、あるいは、詩学としてのパラタクシス詩学。単一で、堅固な、一枚岩のもの、ではないもの。論理という一方通行の、一本道ではなく、脱線し、逸脱する、通行路、獣道。だが、たんに論理が破綻しているのであれば、それは、無意味や出鱈目である。そうではなく、パラタクシスとは、単一の、堅固な論理からは逸れた、柔らかい、複数の言葉の、思考の道筋である。だが、なぜパラタクシス詩学などというものが望まれ、用いられるのか。恐らく、私たちの言葉や思考というものは、単一の一本道なのではない。複数に枝分かれして、同時多発的に複数のことを思いつき、同時に複数の言葉にしている。言語や思考というものは、そのように流動的であり、浮遊的である。だから、単一の、堅固な、一本道の、論理というものは、フィクションであるかもしれない。恐らく、フィクション、虚構であるもの、ひょっとすると存在しないものを、私たちは、求め、論じ、用いているのではないか。むしろ、単一性、堅固なもの、に還元されないもの、収斂されないもの、をこそ、私たちは求めていきたい。ひとつのお伽噺、ひとつのフィクションから解放されてもいいのではないか。

野村さん、パラタクシスで詩を一篇、お願いします。

第二信　野村→杉中

パラタクシス、刺激的な概念ですね。概念を与えられて詩を書くというのは、すてきなあべこべ、つまりふつうはまず詩があって、そこから帰納的に概念が抽出されて解釈や批評が成り立つのでしょうが、その逆をやろうというのですから、すてきなあべこべです。冒険心が掻き立てられます。短歌や俳句で行なわれる題詠に近いですかね。いや、それとも違う気がするな。ぼくの関心領域でいえば、哲学と詩に橋を架けること、ぼく自身の本のタイトルを借りると、まさに「哲学の骨」と

「詩の肉」の結合という感じですね。

で、パラタクシス。杉中さんのコンセプトの提示は明快ですが、だからといって、実例がないとなかなかイメージできるものではありません。そこでひとつ思い出したのは、いつだったか、杉中さんの『詩の練習』に「美しい人生」という、ぼくにしては部分部分はわかりやすい詩を書いたときに、杉中さんから「パラタクシスですね、こういう詩も書いて下さい」という励ましの感想をいただきましたよね。冒頭部分を引用します。

人生も投げれば
美しく放物線を描く
のではないか
駅のホームで電車を待っている数分間でさえ
投げれば
心身はクレッシェンドに緊張を高めていき
ついにやってきた電車に
きみ
それ自体が吹き飛ばされそうになる
ああ美しい人生
きみはきみを壊死しちゃえ
というささやき

時の流れの
向こうに置いてきた向日葵は
記憶の沃野にはたらきかける中心紋となって
まわれ

こんなふうに、いくつかの断片的なエピソードを脈絡もなく重ねてゆくという手法で書いたのですが、それを杉中さんはパラタクシスと形容した。

そのときでしたか、パラタクシスという概念そのものはアドルノのヘルダーリン論から持ってきたとたしか杉中さんは述べていましたね。ぼくはその本をもっていないので、たまたま手元にある岩波文庫版『ヘルダーリン詩集』を繙いてみましたが、翻訳のせいか、どこが具体的にパラタクシスなのか、いまひとつ把握できません。ただ、訳者川村二郎の解説を辿ってゆくと、ありました、アドルノのヘルダーリン論の手短な紹介が。「〔パラタクシスという〕その方向にはいうまでもなく、言葉の無秩序な散乱という危険が想定される。しかしアドルノの考えでは、文を整然とした調和的な複合体に仕立てあげるのは、作者の恣意なのであり、言葉の働きそれ自体に身を委ね、主体を放棄することによって初めて、言葉の本来の生命が発動するのである」というところが肝要でしょう。

では、「言葉の本来の生命」めざして、実践。こんな感じになりました。

パラタクシス実践

ふたつの球の冒険の旅

わたくしの足元で、いつからか
淡く蒼い球と蒼く淡い球とがたわむれた

わたくしの
淡く蒼い球、蒼く淡い球

膝のあたりまで纏わりつくので
そのつど足を蹴り上げるのだが、むなしい

まだ街のまどろんでいるうちに
浅い母のへりで踊る、それは幼年が右に揺れ左に揺れ
ながら、膀胱の飛び地のようなところ
日々の泡、生きる歓びへとなだれた、そのあいだにも

纏わりつく、ピンポン玉のように
目玉のように、睾丸のように

淡く蒼い球と蒼く淡い球、もとは私の
脳内にいたのだという、だったらそこに戻れ

ともいえないし、オオマツヨイグサの群落がみえている
仕方ない、随伴を許そう

田野への、シティの不思議な折り込みのなかを
淡く蒼い球がすこし先に出て

わたくしを導く、ひかひか
災厄のようにまぶされた貨幣へ

また岩のうえのみずみずしい肢体へ
蒼く淡い球がピンポン跳ねて

跳ねて？　絨毛のような日付の連なりのうえ
揺れるわたくしがディスプレイなので、なのに
なにか事件にでも巻き込まれて
この世とは夒のこと

卵管の奥のような、わっ、わっ、いつまでも
淡く蒼い球と蒼く淡い球とがたわむれた

＊

種明かしをすると、「淡く蒼い球と蒼く淡い球」は、昔の私の詩「くねる日付／ムーヴィングアウト」（詩集『アダージェット、暗澹と』所収、一九九六）からの変奏です。そのときは「淡蒼球」および「蒼淡球」と漢字のみで表記されていました。初出は野村喜和夫・城戸朱理篇『入沢康夫の詩の世界』。昨年（二〇一八）亡くなった入沢さんへの追悼の意味も込めて、もう一度このふたつの球をころがしてみようと思い立ったのです。「淡く蒼い球」と「蒼く淡い球」自体、形容詞の順番を変えただけの連辞の並列。極小のパラタクシスといえなくもない。そのふたつの球が「わたくしの足元」にピンポン球のようにまとわりつきながら、どこまでも「わたくし」についてくる、それが主筋で、そこからイメージや物語の芽がいくつも枝分かれするような感じで書いていきまし

た。

しかし、これがパラタクシスなのかなあ。パラタクシス、まだよくわかりません。とりあえず。

第三信　杉中↓野村

実践、楽しく拝読しました。「ふたつの球の冒険の旅」で、わたしがパラタクシスぽいなと思うのは、例えば「わたくしの／淡く蒼い球、蒼く淡い球／／膝のあたりまで纏わりつくので／そのつど足を蹴り上げるのだが、むなしい／／まだ街のまどろんでいるうちに／浅い海のへりで踊る、それは幼年が右に揺れ左に揺れ／／ながら、膀胱の飛び地のようなところ／日々の泡、生きる歓びへとなだれた、そのあいだにも」というあたりです。「淡く蒼い球、蒼く淡い球」という、具体的には何のことかよく判らない、かといって抽象的というわけでもない、不思議なイメージと、「膝のあたりまで纏わりつくので／そのつど足を蹴り上げる」という具体的で身体感覚に近いイメージの不連続、齟齬感のようなもの。この浮動的なイメージと堅固な身体感覚が、パラタクシス的に並列されています。「球＝玉」の文脈と、「足」に纏わる文脈と、「母＝幼年」の文脈とが、入り混じっています。そして、「膀胱」や後に出てくる「睾丸」（これらは「球＝玉」のイメージともリンクします）そして「卵管」という身体の器官についての文脈（卵管は、母とリンクします）。これら、様々な複数の文脈が、シンタックスや意味を壊すぎりぎりのところで、ひとつの纏まりとして、機能している。これを全体にやると、やはり、破綻したような印象を与えます。ですから、序盤や終盤のような、わりと、堅固にシンタックスが維持されているようなパートが存在することも必然なのかもしれません。堅固な部分があって壊れた部分があって、また堅固な部分に戻る。そのようにしてパラタクシスは実践されるべきなのかもしれません。パラタクシス詩学にもそのようなバランスは必要だということでしょう。

野村さん、ひとつ、ざっくりした私のコンセプトをお伝えします。一番大きいコンセプトは、シンタックスの破壊あるいはシンタックスの崩壊です。

これは野村さんが既にいろいろとやっていらっしゃることで、例えば、「くねる日付／ダンスダンス」(『アダージェット、暗澹と』所収、一九九六)。意味が崩壊しているだけでなく、シンタックスも崩壊しています。

地の母の臍のうえで
踊ろうよ、

地のおもての母の
臍のうえで
踊ろうよ、踊ろうよ、

へりへそダンス、
へりへそダンス、

おもてには
葉むら、弓なりの島、
ビートなんかきかせなくていい、
臍のまわりの
つるつるの鋼のへりに、
私たちの生のへりが触れ、絡み、交わるから、
へりは増え、
へりは育ち、
そうして幾重にも幾重にも揺れるのだ、
まるで誰でもない者の
瞼の
まばたきのよう、地の
おもての臍の
浅い母のうえで
踊ろうよ、踊ろうよ
〔……〕

へりへそダンスとは、「地の母の臍」と「私たちの生のへり」が並列されたものです。臍とへりには、意味の連関はなく、(「臍のまわりの／つるつるの鋼のへり」とも言われますが、大地の臍と私たちの生のへりとの間には、意味的な連関は特にありません)、臍とへりが、おそらく脈絡もなく、並立、併存されています。「地の母の臍」というのは、いわゆる大地の臍で、これは場所に関わるものでしょう。地の母というのは、ガイア、あるはガイノであり、マトリックス(母胎)です。それは場所ならざる場所、コーラであり、ユートピアです。「地の母」にはもともと「臍」はありません。大地の臍とよく言われますが、臍というのは胎から生まれたものが持つものです。大地は、大地そのものが胎なのであり、大地が胎から生まれたわけではありません。だから、「地の母の臍」というのは、存在しない中心、架空の中心です。不在あるいは非在としての大地の臍のまわりで、へりのダンスを踊る。へりへそダンス。それは「私たちの生のへり」であり、私たちの生のぎりぎりの限界としてのへりでしょう。それは生きること、あるいは実存そのものとしての生のへり、生のへりのダンスです。

「くねる日付／ダンスダンス」でシンタックスが崩壊あるいは破壊されている箇所を引用します。

おもてには
弓なりの島、自然数、
ただ筋の、
降り立とうとするままに、

眼は水のように、脳は足うらのように、
まるく起伏に、
主格を譲り渡すうち、
私たちの生のへり、鋼のへり、複数のへり、
へりは陽を受けて、
夏の石のように暑いよ、

ここでは、「弓なりの島」と「自然数」が並列されています。理路や脈絡のようなものは感じられません。島という場所、自然数という普遍的な名詞が、並列されています。「へり」は、「生の」「鋼の」「複数の」と、また、並列されています。シンタックスはゆるく保たれているようにも見えますが、意味を辿ると、意味は崩壊しているようでもあり、シンタックスは、形の上だけ、言葉の使用の上だけで保たれているにすぎません。

むしろ、言葉の並列的な使用により、シンタックスを、破壊あるいは崩壊させていると言えるのではないか。意味を辿ることができず、シンタックスもぎりぎり破壊されている。これは、私たちの言語のへり、言語の臍のへりということではないか。私たちは、ぎりぎりの生のへりで、言語のダンスを踊っている。これこそまさに、私たちの綱渡りのような言語のダンス、へりへそダンスではないか。

シンタックスの破壊あるいは崩壊の例として、建畠晢さんの初期の詩があります。

野村さんは『散文センター』（一九九六）で、ショシャナ・フェルマンを援用して、建畠晢さん

を「レトリックの狂気」と書いています。野村さんも留保していますが、ここでいう狂気とは現実の狂気（例えば統合失調症や鬱病、神経症）のことではありません。比喩というか、メタファーとして「狂気」という言葉が援用されていて、建畠晢さんが狂気の言葉を語っているわけではありません。が、ここで、やはり私がひっかかるのは、野村さんもツヴェタン・トドロフの言葉として「理解不可能」という用語を使っていらっしゃいますが、人は理解不可能なものに接すると、「狂気」という用語で説明したくなるものらしいということです。ヘルダーリンの後期讃歌について、そのパラタクシスによるシンタックスの崩壊を、ヘルダーリンの狂気（統合失調症）ゆえの理解不可能な言葉とする評論は、今も、少なくないようです。建畠晢さんの詩も、私たちの用語で言えば、パラタクシスで書かれていて、野村さんは『二十一世紀ポエジー計画』（二〇〇一）で「物語性の脱臼につぐ脱臼」という評語を用いています。むしろ、私はこの「脱臼」こそ、建畠晢さんを説明するのに適切な言葉だと思います。言葉が脱臼している、つまり、言葉と言葉が、うまく繋がらない。つまり、異質な言葉が、並列されている、と言えるのではないか。これこそ、私たちが言うパラタクシス詩学です。

建畠晢さんの詩を引用します。

アルマジロ、アルマジロ、アルマジロ。発語の不安に襲われたアルマジロ。テラスのカラスらと至近距離で向き合って、はやくも進退極まったか。少なくとも、扶養という神話を抱えたカラスにはそう見えたであろう。不要の神話で浮揚せよ、と蓄麦湯を待つ〝異聞の女〟は自らの周辺に集う昼下がりのカラスをいましめた。〔……〕ああ、アルマジロよ、脳髄とはついに振り返る戯画である。そのことをもってテラス異聞と称するか。ならばしばし、荘厳なる洋風の廡下に耳を澄ませよ。――今、人生の蕎麦湯が幻の女を飲んでいる。

（「テラス異聞」部分）

「アルマジロ」が「テラスのカラス」と「至近距離で向き合って」います。まさに、アルマジロとカラスが並列されています。さらに「扶養の神話」が並列され、「蕎麦湯」が並列されます。これは、言葉が脱臼しているようであり、ぎりぎり保たれているシンタックスが、詩を進行させます。が、ここでは意味を辿ることは難しく、アルマジロやカラスや扶養の神話や蕎麦湯は、意味連関とは無関係に並列されていて、シンタックスは崩壊していると考えてもいいと思います。

パラタクシスは並列して文章が進みます。

私は花が好きだ
馬は川を泳ぐ

このふたつの文章を並列させてみましょう。

私は花が馬は川を好きだ泳ぐのは
詩になっていませんが、私がパラタクシスとか並行とかシンタックスの破壊や崩壊といっている
のはこんな感じです。
鈴木志郎康さんの

私は人妻が手淫していた
も、そんな感じです。

第三信補遺

「くねる日付／ダンスダンス」をもうちょっと詳しく分析してみましょう。
「くねる日付／ダンスダンス」には、幾つかの主題があります。
〔第一主題〕地の母の臍のうえで踊ろうよ
〔第二主題〕わたしたちの生のへり

〔第一主題〕は、一行目から二行目に呈示され、三行目から五行目、十九行目から二十三行目、にそれぞれ反復されます。

〔第二主題〕は、「へり」というモチーフとして六行目から十五行目に反復されます。

〔第一主題〕と〔第二主題〕は、「へりへそダンス」として対になって反復されます。


「くねる日付／ダンスダンス」は、三つのカデンツを持っています。

「おもてには／弓なりの島、自然数」から始まる連。

「私たちはもう死なないのだ、」から始まる連。

「ii（あるいは一九九九年十二月三日）」のパート。


この三つがカデンツであり、「おもてには／弓なりの島、自然数」から始まる連は、ストレッタでもあります。

このストレッタには、「おもてには」「弓なりの島」というモチーフが再現され、「まるで」「瞼の」「まばたき」というモチーフは、「眼は」「まるく」として再現されます。〔第二主題〕が再現され、〔第一主題〕が再現され、「自然数」というモチーフがストレッタ内で反復されます。このストレッタ部分は、私たちの用語で言えばパラタクシスで書かれていて、様々なレベルの用語、主題、モチーフが並列され、シンタックスを曖昧に、崩壊させ、破壊しています。

第四信　野村→杉中

そうか、そういうことなんですね。たしかにぼくはいろいろとシンタックスの破壊を試みてきました。詩は言語による言語への批判である、という命題がたえず念頭にありましたから。

あまつさえ、シンタックスを破壊するというのは、どこか快美感を伴う。ぼくにはもともとアナーキーなものへの嗜好があるのかもしれません。しかし、そういうふるまいをぼくは必ずしも意識的にしているわけではありません。たとえば「くねる日付／ダンスダンス」に施された杉中さんの分析、とりわけカデンツとかストレッタへのアナロジーで析出された音楽的構成も、ぼくには全く与り知らないことでした。まあ要するに夢中で書いたわけですけど。読み解きのありがたさですね。

話を戻して、ぼくの代表作のひとつとされる「そして豚小屋」も、まさに「私は女が手淫していた」という極小パラタクシスを拡大したかのような書き方をしています。冒頭の二連を引用しておきましょう。

私は豚小屋が
ひとはひと星は星にうんざりして
いま異様に飴のように伸びてくる闇その闇かも

私は豚小屋が
その闇のなかをぽつぽつと光の染みさながらに
回帰する豚よあわれ

以下、十数連にわたって「私は豚小屋が」が繰り返されてゆくわけですが、こうみてくると、パラタクシスは詩作の、すくなくともぼくの詩作の、かくれた作動装置という気がします。いやはや、すごいコンセプトを杉中さんから提示していただきました。

第四信補遺

その後、仲正昌樹さんの『危機の詩学——ヘルダリン、存在と言語』（二〇一二）という著作を参照することができました。六百頁を越える大著ですが、その第Ⅲ章「ヘルダリンの言語哲学」に、ヘルダーリンにおける「パラタクシス」へのかなり詳しい言及があります。まとめのつもりで引用してみましょうか。仲正さんは、「我々が慣習的に用いている文や判断には、概念Aと概念Bの関係について〈AはBである〉という形で一方が他方を包摂し、概念と概念の間のヒエラルキーを構築するような作用が備わっている。更に言えば、文と文の関係においても論理に従って〈統語形態 **Syntax**〉を階層化していく〈従属化構造〉が作用している。アドルノによれば、このような従属化構造を乱す技法としてヘルダリンが採用したのが、古代ギリシア語の構文、特にピンダロスのそれから刺激を得たとされる〈並列 **Parataxis**〉である。〈並列〉とは、文と文が主節―従属節という一元的な関係に従って〈総合〉されているのではなく、同等の資格で並べられているということである」としたうえで、名高い長詩「パトモス」の第一連を分析しています。そして結論は、「ヘルダリンの〝総合的判断形式〟は概念的な結束性が極めて弱くなっており、その分だけ主体が成立する以前の諸表象の多様性が〝再現〟される仕掛けになっている。〔……〕アドルノの議論に即して言えば、詩の中に散乱しているイメージ群に対し総合的判断形式を外側から当てはめ、それを〈媒介〉にイメージ間の関係を従属構造化していこうとする〈感覚＝意識の暴力〉が挫折し、それに伴ってイメージとイメージの間から〝自然〟な結びつきが浮かび上がってくるのである。」さらには、こうした脱主体的な、主体には語り得ないものを語る「ヘルダリンの詩的エクリチュールの脱近代性を高く評価したい」としています。

「主体が成立する以前の諸表象の多様性」というところがキモでしょうか。じっさい、詩を書こうとするときのぼくの脳というのは、それほど秩序だった言語活動に統御されているわけではありません。むしろ、前後の脈絡を無視してまで、語や句は激発し、あらぬ方向へ飛び、そこで別の語や句と思わぬ出会いを果たしながら、ある種の、線というよりは面的な流れを形成する。そのような、主体が統御する言語以前の言語、プラズマ言語、それを捉えようとするのがパラタクシス詩学である、と、ひとまずそのように言っておきましょう。

2 浮動性

第一信　杉中↓野村

浮動性

浮動性は、フラクタルのようなものではない。フラクタルは、数式化され、一元化されるものである。浮動性は、おそらく、数式化されない、論理的に記述されえない、何かだ。浮動性とは、流れる川のようなものである。川の流れは単一のものではない。川の流れは、同じものはなく、二度と繰り返されない。揺れ動くもの、移り行くもの、流れ去るもの、その流れそのもの、川の流れは単一のものではない。川の流れは同じものでありながら、同じものではない。浮動性が、そのようなものであるとするなら、それをどのように詩にするか。浮動性を詩にすることは、海岸の地形をフラクタルの数式にするようなものではないか。そのような一元化、論理化から零れ落ちるもの。

同じひとつの川でありながら、二度と同じ流れではありえないもの、そのようなものを詩にすることは可能なのか。浮動性の詩学は可能なのか。

野村さん、浮動性で詩を一篇お願いします。

第二信　野村→杉中

フラクタル、個人的にはなつかしい言葉です。最初にこの数学用語を教えられたのは、たしか中沢新一の『雪片曲線論』（一九八五）でした。全体から部分へ、ある図形が無限に繰り返される。まあ、ある種の入れ子状の構造ですね。そういえば、「パラタクシス」のところで取り上げていただいた「くねる日付／ダンスダンス」の反復句、「地の母の臍のうえで」は、その内部で入れ子状に要素を増やしながら繰り返されていきます。「地の母の臍」→「地のおもての母の臍」→「地のおもての精緻の母の浅い臍」というふうに。これって、なんとなくフラクタル的ですよね。

しかし、浮動性はフラクタルではないということですね。川の流れのようだと。同じひとつの川でありながら、二度と同じ流れではありえないもののようだと。万物流転説のヘラクレイトスを思い出しますが、さて、どのように書いたら浮動性の詩になるのか。ずれているかもしれませんが、シニフィアンの浮動性ということを考えます。以前「錆と苔、かく語りき」（『デジャヴュ街道』所収、二〇一七）という奇妙な詩を書いたことがあります。それをさらに書き直してみました。ベトナムの古都フエを訪れたことが詩作の直接のきっかけでしたが、フエがいつのまにか不壊という漢語と結びついて、さらに不壊府となりました。ふえふという音声が、どうもぼくには、シニフィアンとして浮動しているようにみえるのです。ふ、え、ふ、そのひとつひとつがそのつど半ば偶然、半ば恣意的に漢字と結びついて、不壊府になったり、浮餌麩になったり、浮絵譜になったりと、文字としての意味を帯びながら、しかしまたもとのふえふに戻ったりしている。そんな浮動性、日本語表記の狂気みたいな。下手な語呂合わせで申し訳ありません。

浮動性実践

不壊府あるいは浮動都市

不壊府のことはわたくしに
色濃く残って
わたくしはそこに生まれては人を恋したり
不壊府において
腑
絵
浮
において

わたくしに対する不滅の何らかがみえたり
集まったり
わたくしの一人で腑絵浮の分化の素晴らしさが
ほかに比べるもののないほど
美しかった
府
江
譜
をつくるとき
ローマの人々がおこなったような
自然を支配するという意思はみられなかった
のでグー山
それからふおん川のゆうぐれ
わたくしの澪へそれが
こがねの波紋となってひとつになろうとしていたのは
たとえようもなく美しく
掛けられた網のむこう
いくつもの舟のまぼろしが
死が

朝もやに掬いとられたようで
浮
餌
麩
のきりさめ
ちおん沼のゆうぐれ
それをふっくらの女ひとがみている
いつのうつつのことだったろう
みさき
宇宙平和
ブロンズでまた粘土でつくったのだった
わたくしたち
その力そのものが香る炉や
水のうえのお墓
阿呆の王さまたちの
ぞっくぞく
鈍感な碑
それから色紙をふくざつに折り
なかに蠟燭をともして

あおみどろのわざわいの川に浮かべるのだった
朝の祈り
玄空時
バオクォーク坊
舟を陸にあげては
旗は語られざる言葉の鎖のように
それからまた川にクローン羊を流して
出来事のあおみどろをたたえるのだった
わたくしたち
じっさいいくさを準備しており
舞踏を準備しており
ほら丘
花嫁の腰のまるみ
疲れ溜まる市場の夜のさかなかな
ほら
ほとのこみち
お母さんたちは道にたたずみ
自身のおぐらい門に入ろうとしている
ふおん川の洪水を耐え

夜のアヒルの卵
でなければわたくしのパテ
わたくしの葉で包むファッというお菓子
時間という鏡のなかで
みずからを顧みるということは
生まれてはじめて抱く無垢な愛情を思い出すということ
ではないでしょうか
不壊府の真実は
川岸に
木蔭に
そして静かな夜に
それを誰が忘れられるだろうか
不壊府は
ものごとが発展する場所というのではなく
まして斬新なものはきわめて少なく
留まろうか
出て行こうか
鷲にさらわれる皇女の屌のごとき
不

壊
府
の
ふおん川を
少女たちが小舟を漕いで渡ってゆき
不壊府の
小舟
わたくしを
桃色の蓮の花が見られる碇泊へと誘ってくれる
最後のよぎり
たぎり
ああまたも
こがねの波紋となってひとつになろうとしていた
のだった
たとえようもなく美しく
浮
絵
譜
不

第三信　杉中↓野村

野村さん、フラクタルについての私の考えを述べます。フラクタルというのは、例えば海岸線のような、本来、数式で表わせないような、無秩序なものを、数学的な表現で表わすことです。浮動性がフラクタルではない、というのは、フラクタルが、無秩序なものに、秩序を与えるような、論理化するようなイメージだからです。無秩序なものは、無秩序なままにする、というのが私の考える浮動性です。もう一点、野村さんは「シニフィアンの浮動性」と仰いますが、私はシニフィアンという用語がどうも引っ掛かります。野村さんは、シニフィエなきシニフィアンみたいな、独立したシニフィアンの戯れのようなイメージで「シニフィアン」の浮動性と仰っているんだと思いますが、私には、どうしても、シニフィアンという用語が、シニフィエに憑き纏われているように思えます。シニフィエの影が全くないシニフィアンというのは可能なのか。もちろん不可能ですが、それでもシニフィアンという用語には、強烈なシニフィエの影を感じます。

浮動性実践「不壊府あるいは浮動都市」、楽しく拝読しました。「不壊府」は確かに浮動しています。素晴らしいです。「不壊府」が「ベトナムの古都フエ」に由来するとしても、それはきっかけにすぎないでしょう。むしろ、「不壊府」は、ほとんど無意味に近い、あるいは、非意味というか、意味を纏わない、意味というものに馴染まない、謎の言葉です。しかも「不壊府」は、フエ↓不壊↓不壊府↓浮餌麩↓浮絵譜と、確定もせずに、浮動し、流転しています。浮動性とはまさにこのようなもので、確定することもなく、しかも、意味もよく判らず、それでいて、何かである、何かを表わしている。「不壊府あるいは浮動都市」という詩が、いつもの野村節でありながら、ほとんど意味が辿れない、詩行の連続でできているというのも、浮動的です。山、川、沼、水、など地形的、地理的なイメージは鏤められていますが、それが、地理的な何かを表わしているわけではない。まさに、アドルノやベンヤミンが言う、布置＝星座ではないか。詩に布置された浮動性、山、川、沼、水、それらは実在の山、川、沼、水ではなく、やはり不確定の、意味不明の浮動性であり、その、布置＝星座を、辿る舟（小舟）こそ、私たちの詩のラインであり、詩は、舟（小舟）によって貫かれる、浮動性を鏤めた布置＝星座なのです。そこを浮動するフエ↓不壊↓不壊府↓浮餌麩↓浮絵譜。まさに浮動性の優れた実践と言ってもいいと思います。

ボルヘスの短篇小説に「砂の本」（一九七五）があります。砂の本というのは、頁が確定しておらず、開くたびに、頁が全く別の頁になっているような本です。その本には最初の頁も最後の頁もなく、最初の頁を開こうとして指を挟むと、常に、複数の頁が指の間に挟まってしまい、最初の頁というものを開くことができません。最後の頁も同様です。一度開いた頁を閉じて、もう一度開くと、頁の内容が全く別のものになっています。砂の本は、砂が零れ落ちるように、頁が、文字や挿絵が、頁から頁へ流れ去っていくような感じでしょうか。まるで、一冊の本が砂時計のように、頁が流れ落ちてゆく。浮動性とは、書物の浮動性、テクストの浮動性とは、このようなものではないでしょうか。

ヘーゲルの弁証法では、否定は否定され同一のものに回収されます。否定と否定、互いに否定し合うものは、同一性に回収されず、否定されたまま浮動します。否定性の否定そのものも、一元的に確定されず、不確定なもの、移り行くものとして、並列させます。否定は、確定されること、同一化されることとの否定です。私たちが、詩を書こうとするなら、詩の否定とは、詩ではないもの、です。詩ではないものを、詩ではない仕方で書く。否定を否定として書く、浮動性の詩学です。確定されない、ということは、一義的に意味が確定されないことであり、それは例えば多義性、掛け言葉、駄洒落、地口のようなものではないか。意味が複数の意味を孕んでいる。文章が、複数の文章を孕んでいる。あるいは、概念でもイメージでもないもの。表象ではないものとしての浮動性。浮動性とは、あの「表象不可能なものの表象」ではないか。表象不可能なものを、表象ではない仕方で表象することとしての浮動性。けれども、これは言葉遊びです。こんなことは不可能です。コンステラツィオンは、星座あるいは布置と訳されます。私たちが浮動性について考える時に、このコンステラツィオンが参考になると思います。浮動的なものは、それ自体、意味がありませんし、表象でもありません。浮動的なものにも意味はあるのかもしれませんが、浮動的なものに意味を付与した時、それはすでに浮動的なものではなくなっています。同様に、浮動的なものを表象した時、それはすでに浮動的なものではなくなっています。では、浮動的なものを私たちはどのように扱えばいいのでしょうか。ここで、参考になるのがコンステラツィオンです。浮動的なものは、複数あります。それらは同一の浮動的なものか、非同一的な浮動するものか。それらを、配置し、配列する、その布置、それらの関係が、何かを表わす。それがコンステラツィオンです。配列そのもの、配置そのものが、その関係性が、何かを表現しているのであり、個々の浮動的なものが何かを表わしているわけではありません。例えば、一つの音符に表わされる音を耳にしても、絶対音感のない者には、どれも区別がつかない、一つの音です。ラもドも、絶対音感がないと、一個一個の音にすぎません。が、それらの一つの音（浮動的なもの）が、組み合わされ、配置されると、その布置が、メロディーやリズムやハーモニーとなり、一つのゲシュタルトを形成します。コンステラツィオンはこのゲシュタルトのようなものです。一つ一つの音というよりその配置関係、纏まりそのものが、ひとつのゲシュタルトを形成します。空の星を見上げる時、特徴のある星は確かにありますが、大部分は、光る点です。が、それらの光る点としての星が星座を形成するとき、その星座の配置そのもの、布置そのものが、一つの神話を、ミュトスを表わします。星の一つ一つが浮動的なものだとすると、星座はコンステラツィオンです。

第四信　野村↓杉中

そうそう、ボルヘスの「砂の本」。ぼくもむかし読みました。印象としては無限の本、無限に頁があふれてくるような本という感じでしたけど。杉中さんはそれを浮動性のあらわれとして捉え、さらにアドルノ、ベンヤミンの文脈につなげて、コンステラツィオンというなんとも魅力的な詩的概念に結びつけました。

いつだったか、『マラルメ全集』（筑摩書房）がついに完結したときに、当事者でもなんでもないのに、ある種の感慨をおぼえたことがあります。全集刊行が足掛け二十年にもおよぶ難事業になった原因のひとつは、いうまでもなく、『賽の一振り』をはじめとする詩作品の翻訳の困難さによるものでした。訳者諸氏の苦闘が偲ばれるというものです。マラルメの企図を詩作の実践に即していうなら、語と語の組合せを、意味のみならず音や文字面にも細心最大の注意を払いつつ、極限まで——「私」を非人称にまでして——追求しようとしたことでしたが、そうでもしなければ、あらかじめ与えられてしまっている現象としての言語をひとつの存在にまで高めることは到底できない、とマラルメは考えたのでした。ヴァルター・ベンヤミンは、フランス人以外でいちはやくそのことに気づいたひとりだったのでしょう、言語の詩的もしくは魔術的側面にふれて、「この領域をもっとも深いところで解明しているのはマラルメだ」と、その『来るべき哲学のプログラム』にはっきり述べています。それが布置、星座というコンセプトにつながってゆくわけですね。『賽の一振り』自体、北斗七星を暗示して終わります。

ベンヤミンとは比較にならないくらい、時代も場所もマラルメから遠くへだたったところにいる私たちですが、いやしくも詩的冒険に乗り出そうとする以上は、ほんのわずかでもいい、この極北の詩人の大いなるパラノイアの分け前にあずかろうではありませんか。

3 子供の詩

第一信　杉中↓野村

子供の詩

子供は、言葉を論理的に話しているわけではない。詩人が、子供のふりをして、子供になり変わって、子供に仮託して詩を書く場合、あまりに論理的すぎる、あまりに首尾一貫している。子供の言葉は、あまりに非論理的で、出鱈目で、行き当たりばったりである。だが、子供には子供に固有の論理がある。それは論理とも呼べないような論理であり、大人には理解し難い論理、論理とすら呼べないような論理である。子供は、それでも、数少ない限られた語彙で、身の回りの世界のあらゆる事象を語ろうとする。しかも、少ない語彙で、超論理的な文章を語る。それが、子供の言語、子供の詩である。大人の詩人が子供のふりをして書く詩は、論理が通っていて、筋があり、オチがある。だが、子供の言葉は、論理に一貫性がない。筋や、山や、オチがない。それが、子供の言葉、子供の詩である。子供の詩は、シュルレアリスムのような詩でもない。シュルレアリスムはその方法論が、あまりに大人すぎる。

野村さん、子供の詩を一篇、お願いします。

第二信　野村↓杉中

これはむずかしい。というか、不可能です、子供の詩を書くというのは。子供の詩は子供にしか書けない。子供は世界に没入しており、つまり〈事分け〉されてはいるが〈言分け〉はまだ十分にされていないような、そういう世界に生きており、そのなかで原初的な言語活動を行なっています。それがそのまま詩になるわけです。たとえば、これはある本（斧谷彌守一『言葉の現在——ハイデガー言語論への視角』、一九九五）のなかに書かれていたことですが、三歳ぐらいの女の子が、海にひかる夜光虫をみて、「あれはねえ、うみのおほしさまだよ」と言う。夜光虫を星というべつの言葉で言い表す、つまりメタファーですが、この子にはそういう比喩を使っているという意識はない。そうではなく、夜光虫も天空の星もひとしく「ほし」という言葉で捉えうる言語の原初的かつ創造的な潜勢態を生きている。その証拠に、この子がさらに成長して、指示対象と一対一的に対応する言語を使えるようになると、「うみのおほしさま」というかわりに、より論理的説明的な直喩を使って、「夜光虫が星みたいにキラキラしているね」とか言う。子供の詩は子供にしか書けないというのはそういう意味です。

そう言いつつ、でも、子供になりすまして詩を書いてみたいという野心も捨て切れません。それは「うみのおほしさま」のような、比喩以前の原初的な隠喩をつくるということであり、そのようにして、語の孕む創造的な潜勢態および語の多義的な生産性をふたたび生きるということです。言い換えるなら、言語をその発生状態において学び直すこと、それがあらまほしき隠喩の使用であり、さらに想像をたくましくするなら、われわれはそういうあらまほしき隠喩をくぐってこそ、インファンス（言葉なき幼年）に至りうるとも言えるのではないでしょうか。

ボードレールは言いました、「天才とは自在に取り戻された幼年のことである」と。以下、出来損ないの子供の詩です。「子供のふり」を明らかにするためにタイトルはわざと大人めいた漢語にしました。

子供の詩実践

発熱

ねつがでた
ねつがでて
ぼく　ふらふらになった

ぼくのなかから
べつのだれかが
あらわれたみたい
ぼく　どうなっちゃうのかな
きのうボールをけっていたぼくに
もどれるのかな
ねつがでた
ねつがでて
ぼく　ふらふらになって
ぼくをさがしてる

陽光欠片頌

ただいま
ぼく　もどったよ
あ　おひさまのかけら
おうちの　こんなおくまで
まいごになったのかな

ぼく　のるよ
おひさまのかけら
あたたかいね
なんだか
ママのにおいがするよ

＊

自作解説のように記すと、「発熱」は、幼少期にしばしば発熱したぼく自身の経験を思い出しながら書いたもの。詩人とは、これもボードレールの言っていることですが、「思いのままに己自身であり他者でもあることができるという、この比類ない特権」を有する者のことだとすれば、幼いぼくは、発熱によって早くもその「特権」をいくぶんか味わっていたことになります。

「陽光欠片頌」は、べつの幼少期の記憶をある読書体験に結びつけた一篇。村上春樹の『海辺のカフカ』に印象深い一節があって、それは主人公のカフカ少年が、幼時の記憶のひとつとして、家の庭にできた日だまりを思い出す場面なのですが、その日だまり――「ある種の奥まった場所にしか生まれるはずのない、とくべつなかたちをした日溜まり」――は、その頃家を出て行った母の思い出と切り離せない。ぼくにも似たような記憶があって、母こそ不在ではなかったけれど、なにか絶対の日だまりのような、あやうくて逃れやすく、ふわりと浮いているような、それでいて動かしがたい、不意の胎内の明るみが現出したような。そこでぼくはかつて、つぎのように書いたことがあります。

稲妻狩129（幼時の日だまり）

ああどこに
幼時の日だまりはあるか
そこへ戻り
そこでしばらくあたたまり
そこからふたたび発ちたい
と思うのに

余談ですが、この「幼時の日だまり」は、ぼくの想像的世界のなかで、なんと死後にまで通じています。詩集『難解な自転車』（二〇一二）の掉尾に収めた「（ほら、遅い春の午後なんかに――）」という詩から引きましょう。

ほら、遅い春の午後なんかに、
日だまり、
日だまりがさ、
家の裏庭とか、鎮守の森のはずれとか、

思わぬ奥まったところにできていて、
あれって、その向こうは死後、
私たちの死後だったりして、
落ちる蝶、
天気雨、ヤコブの梯子らがみえ、
それからまた日だまり、
日だまりだけが、
てんてんと、つづいているのではないだろうか、

ここまでが前半部。「ヤコブの梯子」とは、にわか雨の前後などに、雲間から地上へ洩れ出た光が、逆に天国への階段のようにみえる大気現象で、「死後」のいわば縁語です。ついでぼくは、「てんてんと」した「日だまり」から、子供の頃やった「石蹴り遊び」に連想を広げました。以下が後半部です。

それをどこまでも、
石蹴り遊びのようにたどってゆく、
そんな無人がいてさ、無人だから、
ただ性器や内臓が、やたらきらきらしいんだ、
それがどこまでも、

日だまり、
日だまりに跳ねて、
ヤコブの梯子、
雷鳴、黒い繭らも越え、
もう私たちは、ほら、死後だからさ、
影もかたちもないんだけど、
ちちははの交わりのように、
匂う、
とても匂う。

「私たちの死後」だからもう誰もいない、つまり「無人」なわけですが、その「無人」に人格を与えて、「石蹴り遊び」をさせるというイメージです。その後も想像力は、それこそ石蹴り遊びをする子供の足のようにどんどん飛躍して、「死後」はいつのまにか「ちちははの交わり」、つまり誕生以前へと引き戻されてしまいます。いやはや。日だまりという入口から世界のほんとうの深さやひろがりへと身を入り込ませると、幼年と死後とが、さらには誕生以前が、スパイラルのように循環するんですね。

第三信　杉中↓野村

野村さん、子供の詩実践、ありがとうございます。楽しく拝読しました。子供の詩で、もうひとつ思うことがあります。それは、子供の詩は、下手な詩だということです。子供は、詩の書き方を知りません。だから、てにをはを間違ったり、不用意に同じ言葉が何度も出てきたり、文法的に明らかに間違ったりした詩を書きます。私たちは、そういった下手な詩を推敲するわけですが、子供は、推敲することができません。推敲する方法を知らないのです。間違いや、変な言葉遣いに自分で気づくことができないのです。ですから、子供の詩は下手な詩です。野村さんの子供の詩実践は、やはり上手い詩で、纏まっています。野村さんはわざと下手な詩を書くことができないのでしょう。あまりにも上手すぎます。子供の詩ということで、野村さんもご苦労されましたが、おっしゃる通り、ひとつは子供時代を追体験して、子供の詩を書くというのがひとつの方法でしょう。「発熱」も「陽光欠片頌」も、子供時代の追体験のような詩です。野村さんは、子供の言葉遣いを、原初のメタファーとおっしゃっています。が、子供にとってはメタファーの意識はないと。おそらくそれはメタファーではないのでしょう。むしろ、物とか、事とか、そういったものが剥き出しに、晒されている。その剥き出しの何かを子供の目は捉えている。「陽光欠片頌」の「日だまり」も、メタファーではない。むしろ、日の当たった場所という物そのもの、その物の存在の力のようなものに、驚いている子供の詩がある。この「日だまり」は、野村さんの自作解説にある通り、何度も、野村さんの詩に回帰します。これは、むしろ追体験というより、フラッシュバックのようなものではないか。フラッシュバックといっても、何かトラウマ的な体験に関わるわけではなく、むしろ物のもつ力のようなものが回帰している（何の根拠もなく言ってしまえば、野村さんはここで、詩そのものに触れているんじゃないか。詩なんてものを知らないはずの子供の野村さんが、「日だまり＝詩」に初めて触れた瞬間なんじゃないか）。だとすると、「発熱」に現れるぼくのなかの別の誰か、もうひとりのぼくとは、これもまた、詩そのものなんじゃないでしょうか。詩とは、ぼくの中から生まれたもうひとりのぼくなんじゃないか。フラッシュバックして現れる「日だまり」とはそのつど、詩人に現前する、剥き出しの物です。

野村さん、子供の詩には時間がありません。子供が言葉を発する場合、目の前の事物を指差して、その名を呼びます。あるいは、その時々の感情のようなものを口にします。そこには、時間がありません。子供は、過去を振り返って、過去についてあれこれ語るのではなく、今目の前で起こっていること、目の前にある物や事について語ります。子供の詩はライブ演奏であるといえるかもしれません。子供の詩は、ＣＤに録音されて、何度も再生されるのではなく、常に、ライブ感覚でライブ演奏されます。子供の詩は、常に、今とともに消え去ってしまいます。子供の詩は、後から思い返されたり、記録されたり、推敲されたりしません。子供は、いま、ここで、思い付いたことを口にするのであり、深く考えず、心に浮かんだ言葉を口にします。それは、反復されたり、推敲されたりしません。これは、シュルレアリスムの自動記述に似ています。自動記述も子供の詩を書こうとしたのかもしれません。私たちが子供の詩を考える場合、シュルレアリスムよりも、語彙を狭くすることです。子供の詩は、本当に限られた数少ない語彙で、非論理的なことを語ります。子供は椅子を見て、「椅子」と語ります。これが子供の詩です。椅子を見たから、「椅子」と言うのであり、椅子の意味を説明したり、意味に捉われたりすることはありません。そして、椅子がどのようなものか、人が腰かけて休んだり、仕事をしたりする器具、というような、椅子の機能や本質に関わることも、子供の詩では重要ではありません。子供が椅子を見て「椅子」と言うとき、椅子のシニフィエはさほど重要ではなく、まさに、シニフィエが極度に希薄なシニフィアンとしての「椅子」なのです。そして、椅子は腰かけるものでも、踏み台にするものでもなく、そこに裸形で剥き出しにされた、椅子、ゴッホの絵の椅子みたいな、物質としての椅子なのでしょう。椅子という物質の名前が「椅子」なのであり、子供の詩は、椅子の名前を呼んでいるのです。

ベンヤミンは「子供の本を覗く」(『ベンヤミン・コレクション②』、一九九六)で、子供の言葉は、「象形文字」、あるいは「絵文字」であると言っています。私なりに敷衍してみますと、子供は、椅子を見るとき、「椅子」という言葉(文字)が、絵のように(絵を伴って)見えるということです。ベンヤミンは飾り文字や、判じ絵の話を書いていますが、ある文字が、それの表わす事物の絵の中に隠されているような、パズルのような、騙し絵のような、文字探しの遊びのような、ものです。椅子を見て、「椅子」という文字が心に浮かんだ場合、この「椅子」という文字が、まるで「椅子の絵」の中に隠されている。「椅子」という文字が、「椅子の絵」そのものである。ここでも、「椅子」はシニフィエや意味ではなく、シニフィアンとしての「椅子」、純粋に絵のような「椅子」です。絵のような椅子は、目の前の物質としての椅子の意味というよりは、物質としての椅子のミメーシスのようなものです。子供がやる物真似遊びのような、ミメーシス。子供の詩は、椅子の意味や用途や価値を捉えているのではなく、椅子の似姿としての「椅子」という文字、映像的に似姿やミメーシスであるような「椅子」という文字を書くことです。

第四信　野村→杉中

では、ぼくも、「子供の本を覗く」ようにして、子供の詩実践補遺をやってみましょうか。子供の詩、ではなく、子供になろうとしている老人の詩。円環よ、閉じよ。

子供の詩実践補遺

あいうえお、あいうえお

私は子供ではない、
どころか、
老人だ、
深夜、一日の労苦を終え、
ベッドに潜り込む、
灯りを消し、いきなりは眠れないので、
寝返りを打ち、闇のなかの壁をみつめる、みつめるという以上に、

みつめる、するとそこに、夜のなかの夜が切り立って、
私は幾分か子供だ、壁はもはや闇ですらない、
もっと豊かな混沌、もっと黒い黒い騒擾となって、
なにかがうようようよしている、
帯状に、渦巻状に、糸くずのようなものが、
紐のようなものが、染色体のようなものが、ウミウシのようなものが、
ややあって、いにしえの民衆の反乱の旗や幟のようなものが、
うようようよしている、
あいうえお、あいうえお、
宇宙がそこで終わり、
あらためてそこから始まろうとしているような、
一日の終わりの、恐るべきうようようよ、
うようよ、とそのとき、
半睡のなかで、
私はすっかり子供だ、

4 中間休止

第一信　杉中↓野村

中間休止

言葉でありながら、言葉でない。無でありながら、無ではない。中間休止は、詩の行の中央に置かれた、まさに休止、休符である。それは句読点や、ダッシュなどの様々な記号であり、まさに詩の行を中断するもの、それによって、転調するものである。この休止そのものが、ひとつの存在のように、表象のように機能する。中間休止は転換点でありながら、それ自体が、ひとつの存在感、ひとつの表象である。中間休止として機能するものは、無でありながら、そこから新たな、拡がりへの転轍機であり、無、空虚、そのものが主張する。中間休止そのものが、ひとつの重要な記号になっている。

野村さん、中間休止の詩をお願いします。

第二信　野村→杉中

中間休止というのは、なんだかとても意味深い概念ですね。ぼくはフランス詩を学んだので、フランス詩法の言葉でいうと、césure（区切り）、とくにアレクサンドラン（十二音節詩句）における hémistiche（半句）から hémistiche へのあいだがそれにあたるのでしょうが、もともとはヘルダーリンが言い出したことですから、ドイツ語、ドイツ由来なわけですね。杉中さんからは別のメールでふたつの文献、ベンヤミンとジル・ドゥルーズを教示していただきましたが、前者はみつかりませんでした。それから、小林康夫さんが何かの本で言及していたはずですが、これもいまのところみつかりません。そこでまず、ドゥルーズの『差異と反復』（財津理訳、一九九二）から、中間休止について述べているくだりを引きましょう。

> ヘルダーリンは、時間は「韻を踏む」のをやめる、なぜなら、時間は、〔詩の〕始まりと終わりがもはや一致しなくなるような「中間休止」の前半部と後半部に、おのれを不等に配分するからであると語っていた。〔……〕《私》の亀裂を構成するものは、まさに、中間休止であり、またその中間休止によって順序づけられる〈前〉と〈後〉である（中間休止は、まさしく亀裂

が誕生する点なのである)。

もうひとつ、中間休止に関連してぼくがどうしても忘れられないのは、パウル・ツェランの「息のめぐらし」という詩学です。吸気から呼気へと息をめぐらすその転回点に詩があるという考えですね。

そんなことをふまえながら、実践してみました。

中間休止実践

ブーメランのように

這う眼のさきへ息
こころみに吹きかけて
それがすべての始まり
未知への痕跡
無人の灰
の喉
跳ねる陽気な傷痕をきらめかせて

あるいは
がらんとしたきょうのわたくしに
あすの誰かが入り込み
わたくしの内なる壁を
ごらん
海老やウナギの
なにやら稚拙な素描で埋め尽そうとしているよ

だが不意に
ブーメランのように
息が戻ってくる
未知からの痕跡
ひりひりと人称の綻いほつれ
無人の舌
の荒廃
ただ眼のような明るみがひろがるばかりだ

あるいは
わたくしをおもてに

つぎつぎと肌理たちが還ってくるよ
名づけの底で燃えている
屑
のような肌理たち
ここは誰の
死後
なのか
わたくしは大声で叫んだ

*

第一行目の「這う眼のさきへ息」は、『現代詩文庫・野村喜和夫詩集』(一九九六)の冒頭を飾るぼくの初期詩篇「息吹節」の第一行目そのままです。つまりぼくの詩的出発は、「這う眼のさきへ息」を送り込んでいくことでした。そうしてつぎつぎとその息吹から生まれ出るものを書いていくこと、そう、ちょうど世界創成の微小なシミュラークルのように。書き出しの部分だけ引用します。

這う眼のさきへ息。
こころみに吹きかけて。
息のした。たまらなく秘匿され。

たまらなく胚かなにか。
ニュートリノ。
燐光は立ち。
めぐりはいまも生まれたてのへこみや突起のうえ。

ただ、それはあくまでも息を送り込んでいくだけ、つまり呼気だけの単調な身振りで、吸気がありませんでした。じっさい、詩篇の途中に「息は送り返されない」という一行が出てきます。言い換えれば、呼気から吸気への中間休止、亀裂、スラッシュがありませんでした。そこでそれから四十数年後のいま、呼気と吸気の往還を書いてみたというわけです。

もうひとつ、むかし、『未知への痕跡』、と題されたエルンスト・ブロッホの本がありました。なんとすてきなタイトルだろうと思いました。じっと眺めているうちに、言葉の流動が始まったのですが、そのまなざしが中間休止ともいえるでしょう。未知への痕跡は未知からの痕跡と言い換えられ、やがて両者は区別がつかなくなり、そこから、未知とも痕跡ともつかぬ何かが浮かび上がってくる。そういうことも、この詩の背景にはありました。

第三信　杉中→野村

野村さん、中間休止実践、楽しく拝読しました。野村さんは、「ブーメランのように」の第二連、

「あるいは」という接続詞そのもの、あるいは、「あるいは」で始まる第二連全体をこの詩の中間休止と考えていらっしゃるようですが、私の考えでは、この詩の中間休止はむしろ、最終連の「ここは誰の／死後／なのか」の直前で起こっています。つまり、「屑／のような肌理たち」と「ここは誰の／死後／なのか」の間に中間休止はあります。詳しくみてみましょう。第一連で、野村さんの仰る通り、「息」が「吹きかけ」られます。「這う眼」や、息を吹きかけることから、生命や、生きていることが示唆されています。「跳ねる陽気な傷痕」というのも、生命感のようなものを暗示します。が、「あるいは」によって、それは、空洞のような、空虚のような、死のようなイメージへと転調されます。「がらんとしたきょうのわたくしに／あすの誰かが入り込み」では、息をしていない、無風のような、静止したイメージが展開されます。「海老やウナギの／なにやら稚拙な素描」という詩語も死のイメージのように読めます。野村さんは、第一連で息を吹きかけ、第二連で呼吸が止まり、無風になり、第三連で、再び「息が戻ってくる」。これを呼気と吸気とし、第二連の「あるいは」を、呼吸が止まっている、無風であることから中間休止と考えました。が、私には、第一連、第二連、第三連は連続しているように見えます。そして、第四連で「肌理たちが還ってくる」と言われるように呼吸が戻ってきたことのアナロジーが描かれていますが、「ここは誰の」の直前で、この詩は切れているように見えます。「ここは誰の」の直前で中間休止が起こり、その後、「ここは誰の／死後／なのか／わたくしは大声で叫んだ」と、決定的に、異質な展開をしています。息を吐き、呼吸が止まり、蘇生して再び息を吸い込んで、肌理が戻ったと言われていた、中間休止の前の部分では、生と死と再生が歌われていますが、中間休止に入って、後半、それが生や死や再生とは全く関わりのない、全くの「死後」であると言われます。この中間休止によって、「生や死や再生」そのものが、同時に、等価に「死後」そのものであると言われます。この中間休止は、生や死や再生そのものが死後であることを表象しているのです。

中間休止は、詩の、あるいは、文の、作品の、中断であり、断絶です。中間休止の前と後で、詩のリズムが変わるとも言われます。ヘルダーリンは、中間休止によって、その前後のバランスを取るというようなことを言っています。中間休止は、句読点のような記号である場合もあり、あるいは、ある言葉、接続詞のようなものである場合もあり、作品内における、ある人物の台詞全体が中間休止の役割を果たすこともあります。あるいは、空白、一字空きや、一行空きのようなブランクが中間休止になることもあります。あるいは、全く、なんらの途切れもなくとも、中間休止として働く場合もあります。ヘルダーリンは、中間休止によって、その前と後の表象が、変化すると言っています。中間休止の前の表象が、中間休止の後の表象へと変化する。ですが、中間休止そのものが、表象そのものとなるのだ、というようなこともヘルダーリンは言っています。私なりに敷衍してみます。表象というものは、それ自体では、認識不可能です。ですが、表象は言語に対応し、表象を言語化することによって、私たちは、表象を認識することができるのです。表象そのものは認識不可能ですし、知覚不可能です。中間休止の前と後で、表象は言語化されています。言語化された表象が中間休止によって切断されて、別の言語化された表象へと変化します。ですが、中間休止そのものは、無であり、記号ですらない場合があります。たとえ、句読点や接続詞のような記号や言語であっても、それらが中間休止として機能する場合、それは言語的には、無あるいはゼロの記号です。つまり、中間休止は、言語ではないのです。中間休止は、もしそれに対応する表象があった場合、その表象を言語化しているではないのです。中間休止は言語ではないので、言語化せずに、対応する表象を出現させます。つまり、中間休止によって表象そのものが、出来するのです。

中間休止の例を具体的に見てみましょう。

入沢康夫さんの「わが出雲」の書き出しです。

やつめさす
出雲
よせあつめ　縫い合わされた国
出雲
つくられた神がたり
出雲
借りものの　まがいものの
出雲よ
さみなしにあわれ

このパートで、「出雲よ」と「さみなしにあわれ」のあいだに中間休止があります。「出雲」「出雲」「出雲」「出雲よ」とリズミカルに反復され、中間休止によって中断されて、全く異質な言葉「さみなしにあわれ」が出て来ます。中間休止の前の部分では、出雲に付け加えられるもの、加算されるものが描かれています。「やつめさす」という枕言葉としての加算。「よせあつめ」ることによる加算、「縫い合わ」せることによる加算、「つくられた」加算、「借りもの」としての加算。出雲は様々なものが加算され、付け加えられ、プラスされて出来ていると言われます。ところが、中間休止のあと、出雲は「さみなしにあわれ」であると言われます。中間休止の後のパートでは、出雲は無であると言われています。出雲とは様々なものが付け加わっていながら無であるということ。これが出雲そのものです。様々なものが付け加わっていながら無であるものを、私たちは言語化できません。というかそのような出雲を言語化できません。ところが、この中間休止そのものによって、出雲そのものが出来するのです。この中間休止そのものが、出雲そのもの、出雲そのものの表象そのもの、言語化されていない出雲そのものの表象そのもの、なのです。

第四信　野村↓杉中

なるほど。中間休止とは、なによりもまず切断であり、そして、再結合のための無の出現なのですね。そういう中間休止という観点からの、「わが出雲」の書き出しへの杉中さんの分析、見事でした。

ところで、ふと思ったのですが、もし中間休止がそういうものだとすると、たとえば俳句におけるいわゆる切れ、あれもまあ中間休止の一種なのでしょうね。ずいぶんと様式化されてしまっていますけど。いや、俳句だけではない。これは三浦雅士さんの示唆によるものですが、たとえば萩原朔太郎の有名な「蛙の死」という詩、

蛙が殺された、
子供がまるくなつて手をあげた。
みんないつしょに
かわゆらしい、
血だらけの手をあげた、
月が出た、
丘の上に人がたつてゐる。
帽子の下に顔がある。

ここでも、「丘の上に人が立ってゐる」と最終行「帽子の下に顔がある」のあいだに中間休止がある。なぜなら、三浦さんによれば、「帽子の下に顔があるということは、この帽子をかぶった人物を俯瞰しているということだが、この俯瞰によって、その直前までは下から上を仰ぎ見るかたち、すなわち仰瞰するかたちで描かれていたことに逆に気づかされる。つまり、この最後の一行で下からの視線が上からの視線に変わっているのである。カメラの位置が瞬間的に大きく移動する。恐怖にも似た衝撃はその一種異様な浮遊感、無重力感から来る。衝撃は帽子の下の謎の顔の、その謎を深めて静止する。〔……〕これも切断と再結合のひとつの例である。」（岡野弘彦・三浦雅士・長谷川櫂『歌仙　一滴の宇宙』、二〇一五）

いやはや、中間休止というのは奥が深い。時代や洋の東西を問わず、ということはつまり、普遍的です。いや、ポエジーそのものといってもいいかもしれません。

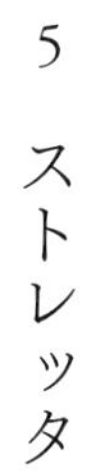

5　ストレッタ

第一信　杉中↓野村

ストレッタ

フーガのエンディング部分で、各声部における繰り返しや模倣とは異質な部分が突然現れ出て、急にエンディングとなる。ストレッタで曲の感じやトーンが変わり、急速に、出し抜けにエンディングとなる。フーガという、模倣や追跡の形式を終わらせるために、導入された異質な分子、エンディングのためだけの装置という感じがする。ツェランでは「ストレッタ」も「死のフーガ」も死に、そして強制収容所に連結している。フーガ（ストレッタ）という音楽の形式そのものが、イメージとして死に、強制収容所に結びつけられているのだろうか。フーガといえばバッハを思い出す。バッハの教会音楽というのも、死や神と結びついた音楽。

野村さん、ストレッタの詩をお願いします。

第一信補遺

ストレッタは「追迫部」と訳されます。ひとつのモチーフが終わる前に、次のモチーフが食い気味に折り重なって現れます。同一モチーフが追いかけ、畳みかけるように重複して迫る形もあります。前のモチーフの中間位で、次のモチーフが重なるような場合もあります。ストレッタは、フーガの後半部分に現れますが、バッハのフーガの場合、中間部分や、前半部分にストレッタが現れることもあります。追跡すること、強迫すること、加速するように、どんどん、早目早目に、つぎのモチーフが畳みかけられてゆく。緊迫する。

ツェランの「死のフーガ」（『罌粟と記憶』所収、一九五二）にも、ストレッタは現れます。最後の連のひとつ前の連、長い連がストレッタとなっています。最後から二つ目の連で、様々なモチーフが繰り返され、追迫するように、書かれます。まず、最初の連で提示された第一のモチーフ、「夜明けの黒いミルク」が現れ、ストレッタは始まります。次に五連目に現れたモチーフ「死はドイツから来た名手」が、食い気味に現れます。さらに、「黒いミルク」と「死はドイツから来た名手」というモチーフが、再度、食い気味に繰り返され、新たなモチーフ「かれは鉛の弾できみを撃つ」が現れます。そして、「金髪のマルガレーテ」というモチーフが現れ、「犬ども」「蛇ども」「ドイツから来た名手」と畳みかけてストレッタは終わります。そして、コーダ「おまえの金色の髪マルガレーテ／おまえの灰色の髪ズラミート」へと至ります。

ストレッタ、追迫、追奏は、ひとつの文が終わる前に、次の文が、迫り来るように書かれます。ひとつの文が完結する前に、つぎの文が始まり、さらに次の文が、第二の文を終わらせずに、始まります。前の文は、未完結のまま、つぎつぎと、あらたな追迫する文にとって代わられ、完結することがありません。

例えば、松本邦吉さんの『市街戦もしくはオルフェウスの流儀』（一九八二）には、「括弧開く」で開かれながら、「括弧閉じる」で閉じられない、連があります。確か、天沢退二郎さんが、この括弧を閉じないのがどうかと、『現代詩手帖』の年鑑の鼎談で仰っていたと思いますが、括弧を開いて、閉じないというのも、文を未完結のまま次の文で追奏してゆくストレッタの手法と言えるのではないでしょうか。

ストレッタを具体的にやってみましょう。

1　彼は煙草を吸っている。
2　今年も鰊が大量に捕れた。
3　自動車は交差点を右折する。

この三つのモチーフでストレッタを作ってみましょう。

彼は煙草を吸っ今年も鰊が大量に捕彼は今年も煙草を大量に鰊が吸ってい自動車は交差点を右

折す彼は鰊が、右折する。
藤井貞和さんに「キンゾクバッ」というのがありました。

第二信　野村→杉中

ストレッタについて、たいへんわかりやすい説明をしていただきました。何かをしていると、べつの何かがやってきて、ついには取って代わられてしまう、あるいは、車を運転していて、背後からべつの車が迫って来て、ついにはそれに追い越されてしまう、みたいな感覚ですね。しかし、原理と実践はちがうという気もします。あまりシステマティックにやると、構成が見え透いて、かえってつまらないでしょうし、なんとか自然に近い感じで、そして内容と不可分なかたちでやれないものか。

余談ですけど、音楽についてはド素人なぼくですが、あるとき、バッハを聴いていて、ふと思ったことがあります。長い人生、あらゆる音のテクスチャーに身を委ねてきたその果てで、もはやバッハしか聴こえてこない、というようなことがあるのではないかと。神が死んだあとの、人間的な、あまりにも人間的な音楽の奔流のあとでは、神が人間につくらせたかのようなバッハの曲、そのフーガやストレッタのような、単純といえば単純な音楽のほうがむしろ深遠に響くのではないかという、そういう逆説ですね。

閑話休題。ストレッタというと、やはり何といってもパウル・ツェランの「ストレッタ」が思い出されます。ぼく自身若い頃に読んで、その音楽的構成やシンタックスにだいぶ影響を受けたような気もして、なつかしいやら恥ずかしいやらなのですが、参考までに、書棚から飯吉光夫訳『死のフーガ　パウル・ツェラン詩集』(一九七二)をひっぱりだしてみました。長い詩で全文引用は無理なので、冒頭のパートだけ書き写すと、

まぎれもない痕跡の
境域へ
送り込まれて――

草、きれぎれに書かれて。石たち、白く、
茎たちの影とともに――
もう読むな――見よ！
もう見るな――行け！

行け、お前の時刻は
姉妹をもたない、おまえはいま――
いま故郷にいる。ひとつの車輪が、おもむろに、
ころがりはじめる、輻たちが

よじのぼる、
黒ずんだ原をよじのぼる、夜は
星を必要としない、どこにも
おまえをさがす声はない。

やはり内容が問題なのですね。よく知られているように、この詩は、かつてツェランがどこかの強制収容所を訪れたことがベースになっています。強制収容所を歩いているときの、死者たちからの呼びかけやそれに応答しようとする詩人の心の切迫、それらがツェランにとってはストレッタであったわけです。と同時に、形式的には、各連の末尾にあらわれる詩句が、多くの場合、ストレッタとしてつぎの連で繰り返されています。たとえば引用箇所ですと、最後の「どこにも／おまえをさがす声はない」が、つぎのパートの冒頭で繰り返される。内容と形式がぴったり合致して、緊迫した詩の空間をつくりだしているわけですね。

さて、ストレッタ実践。いつだったか、宇宙関係の本を読んでいて、それによると宇宙は無数の泡のようなヴォイド（void、空隙）の連なりから出来ているというんですね。ヴォイドを音訳すると、母井戸です。そこから以下の詩は紡ぎ出されてきました。ツェランの「母恋し」的モチーフがうっすらと映り込んでいるかもしれません。あと、吉増さんの初期の詩に「空からブラ下がる母親」という凄まじいイメージが出てきますが、今度は地中に穿たれた井戸である母親たち、でしょうか。

ストレッタ実践

（母さん、井戸である母さん……）

母さん、井戸である母さん、
母さん、母さんでない井戸たち、
ヴォイド、非ヴォイド、

母さん、井戸である母さん、あなたの臨終のまわりでざわめく
空隙の虫、
の空隙、
にびっしり、ひかりの黴、
びっしり、あなたの臨終のまわりでざわめく

ざわめく、母さん、母さんでない井戸たち、
母さん、井戸である母さん、
非ヴォイド、ヴォイド、

そこにいるのは私ですか、私は私のなかで
何かが旋回して、
遮光して、
血は乳へ、乳は血へ、あなたの臨終のまわりでざわめく

ざわめく空隙の虫、私ですか、私は私のなかで、
薄明すぎる肺胞に、
阿呆の王が
幾たびも起き上がる、それから片耳の犬

それから片耳の犬、遺棄された自転車、薔薇のための土、
それらがやがて、遊星のように、
まわり始める、あなたの臨終のまわりで

あなたの臨終のまわりで、母さん、母さんである井戸、
馬鹿な、母さん、母さんでない井戸たち、
ヴォ、ヴォイド、イド、
非、ひどい、

海から抜け出すときの
だるい感じ、セックスのあとと
似てるんだよね、あなたの臨終のまわりで

あなたの臨終のまわりで、片耳の犬、
遺棄された自転車、薔薇のための土、
馬鹿な、土でもない、母さんでもない、井戸たちでもない、
非ヴォ、イド、ヴォイド、
母さんである井戸を抜け、
井戸たちであるヴォイドを巻き、
あしひきの、
阿呆の王は動きまわる、私ですか

私ですか、私は私のなかで、
イド、りりっと、
ひりつくような青めきの果て、
遊星の果て、りりっと、ヴォ、イド、
まろび出てくるよ、
阿呆の王、

あなたの臨終のまわりで、臨終でもない、土でもない、母さんでもない
土でもない、母さんでもない、井戸たちでもない、
あなたはもう条痕ですか、
情痕ですか、

第三信　杉中↓野村

野村さん、ストレッタ実践、楽しく拝読しました。野村さんのストレッタというものの解釈が吃音的である、と感じました。吃音も確かに、ある特定の言葉が、迫ってくる、強迫してくるような感じで、何度も何度も、特定の言葉が、迫りきて、繰り返される感じです。「(母さん、井戸である母さん……)」では、「母さん」が吃音的に迫り、繰り返され、「ざわめく」が吃音的に繰り返されます。そして、ヴォイドが、まさに吃音のように、「ヴォ、ヴォイド、イド/非、ひどい、」と表記されます。吃音では、ある種の言葉が、反復され、強く迫られます。何か、身体的な、迫り、強迫のようにも感じられます。身体そのものが、私たちに何かを迫っている。フーガのストレッタの、何か、コーダへと、強く導くような、身体的な感じとも似ているのではないでしょうか。そして、「私ですか、私は私のなかで、」と「私」が吃音的に反復されます。繰り返し迫りくる言葉は、何か特別な言葉のようでもありますが、単純に発音しづらい言葉、特別な意味のない、音声的、発声的

な、価値を持つ言葉のようでもあります。もう一つ、野村さんのこの詩の、モチーフとなった「ヴォイド」という概念ですが、これは、空、無、空虚、空洞というような意味です。空や無のような、本来、意味や価値を持たないもの、空虚な空洞のようなものに、あえて、意味や価値の負荷を掛けようというものです。空っぽであること、無であることが、それゆえ、意味や価値をもつ。これは、私たちが考えた「中間休止」という概念とも隣接する何かではないでしょうか。中間休止も、それ自体は、意味や価値を持たない、切れ目や切断面です。が、それゆえに、何か、私たちの表象や、言語では、計りしれない意味や価値を持つものが中間休止です。ヘルダーリンが、中間休止で表象そのものが露出する、というようなことを言っていますが、それは本来あり得ないことです。そのような不可能なことを、私たちは、詩において、やろうとしているのではないでしょうか。

第四信　野村→杉中

ぼくのストレッタ解釈ならびに実践が吃音的だという杉中さんのご指摘、半ば意外であり、半ばなるほどという感じでした。意外というのは、ぼく自身は幼少の頃から発話においてそのような傾向を指摘されたことがないからです。それでも、たしかに詩作において、吃音的になることがあります。もちろん意識的にですが、なぜでしょうね。それはやはり、かつてパウル・ツェランを夢中になって読んだという読書的痕跡がどこかで響いているんじゃないかと思われます。ツェランの、とくに後期の詩は、随所に吃音的な発話が感じられますから。もちろんそれをぼくは翻訳を通じて感じ取ったわけですが。

あと、ツェランと同じルーマニア出身で、ツェランのあとを追うようにセーヌ川に身を投げたゲラシム・リュカも、吃音的な書法で詩を書きました。

吃音には、異語もしくは異言の響き、言語システムにとって外から来たような響きがあります。吃音とはちょっと違いますが、アントナン・アルトーのいわゆる舌語りも思い出されます。ひっくるめて、言語システムへと回収される手前で、詩へと生成しうるかもしれぬ異語もしくは異言の潜勢力といえるでしょう。

6　ルサンブランス

第一信　杉中↓野村

ルサンブランス

類似と訳される。書かれた詩は、詩人のルサンブランスなのだろうか。詩人は、詩を書くが、書かれた詩とは、詩人を表わすもの、詩人その人を表象するもの、つまり、詩人の類似、似姿なのではないか。詩人が存在するためには、詩を書かなくてはならない。詩を書かない詩人というのも可能であろう（ダダイストのように）。だが、普通の詩人は詩を書く。詩を書くことが詩人の存在理由であるようだ。逆に言えば、書かれた詩がなければ、詩人は詩人と同定されない。つまり、書かれた詩こそが詩人そのものなのだ。詩人のルサンブランスであるもの（書かれた詩）こそが、詩人その人であり、詩人そのものである。

野村さん、ルサンブランスの詩をお願いします。

第一信補遺

肖像画が、詩人の顔貌のルサンブランスであるとするなら、詩とは、詩人のポエジーのルサンブランスである。ポエジーは詩人に内在するものだが、ポエジーそのものは言語化不可能である。その言語不可能なポエジーを言語化したものが詩であるのだが、詩は、ポエジーそのものではない。あくまで、詩は詩人に内在するポエジーのルサンブランスである。詩はポエジーのルサンブランスだが、詩のルサンブランスとして詩が書かれる。「類似は第二の類似を生む」（入沢康夫「死んだ男」『古い土地』所収、一九六一）のである。詩人は自らのポエジーのルサンブランスとして詩を書くが、自らの詩のルサンブランスとして詩を書く。他者の詩のルサンブランスとして詩を書く。こうして、詩と詩は互いに類似し、互いにルサンブランスの関係にある。だから、詩というジャンルを同定することが可能なのであり、「これは詩だ」と言うことが可能なのである。書かれた詩には、ポエジーは存在しない。ポエジーは詩人に内在するものであり、詩はポエジーの似姿にすぎない。詩はポエジーそのものではない。詩に、詩の内部にポエジーは存在しない。詩にポエジーは不在なのである。だから、私たちは詩を読むとき、ポエジーのルサンブランスによってポエジーを類推したり、想像したりする他ない。詩人に内在するポエジーはそのままでは、未定形で、不定形な、あるもやっとした何かである。それを表象し、言語化するのが詩である。詩を書かなければ、詩人は、ポエジーを得ることができない。詩人にとって詩人そのものであるポエジーは、詩というルサンブランスによって初めて形を与えられ、手にとることができるようになる。詩人という存在そのものが未定形で、不定形なのであり、詩人とは形のないもの、形のあやふやなものである。詩は、今、書いている詩そのものに似ていく。詩は今、書かれた一行のルサンブランスとして次の行が書かれる。詩とは、今、書かれている詩そのもののルサンブランスなのだ。詩を書きつつあるということは、今、書いている詩そのもののルサンブランスとして詩を書いている。詩は、自ら以外の詩に似ていない。あるいは、詩は、自らそのものの似姿である。私たちが詩に森を歌うとき、詩の中の森は、現実の森のルサンブランスであり、私たちが海を歌うとき、詩の中の海は、現実の海のルサンブランスである。私たちは、海を見たとき、海を表象し、海という言葉で、その表象を捉える。だが、私たちが見た海と、私たちが詩の中に書いた海という言葉とは同一ではない。詩の中の海は、現実の海のルサンブランスである。

第二信　野村→杉中

ルサンブランス、なかなか広がりのある概念ですね。鏡像、分身、メタファー。まずそのような隣接項が浮かびますけど、とりわけ、杉中さんのルサンブランスについてのコンセプト提示を読んでいて強く想起されたのは、シミュラークルという概念です。両者はそれこそかなり類似していますよね。シミュラークルというとボードリヤールあたりから調べなければならないのでしょうが、ごめんなさい、時間がなくて。ただ、当てずっぽうに言うと、シミュラークルのほうが本体／コピーという関係を含み、なおかつ、コピーが本体を離れて勝手に自走し増殖するというような意味合いをもつでしょうから、ルサンブランスのほうが静的で安定しているという印象があります。

それはともかく、杉中さんのコンセプト提示に「詩は今、書かれた一行のルサンブランスとして次の行が書かれる」とありますが、以前ぼくは、まさにその文字通りの実践にあたるような実験的な詩を書いたことがあります。『スペクタクル』（二〇〇六）所収の「(あるいは他の茎)」という詩。

他の茎のなかでめざめた
　他の茎のなかへあふれた

るりるりるり
　ちたちたちた

石よりも硬い漿液に貫かれて
　表皮も漿液も縞をなし流れて

純粋な痛みがかけ昇ってくる
　痛みの殻が撒き散らされる

南面の性の崩落が激しい
　生は東端に大量に存在している

口唇からこぼれ落ちる舌の錆 sweet
　舌に残る転生の芽の苦み break

私はもう誰でもよかった
　私とは誰でありえたか

北東には岬が立ちヘリウムと呼ばれる
　北東には孤島が浮かび水素と呼ばれる

空隙はとてもぷやぷやで楽しい
　ほろほろな空隙を踏みそこね踏み外し

リズムすべてはリズム
　リズムあきらかにリズム

泡に似た芯の外側に私が一個だけある
　私とはまた雲のちぎれ雲のほそまい

老いたところで何になろう
　やがて他の類も到来するだろう

茎めかす行為 blindness
　時の風紋のいただきに立ち

わずかな霧を集めては飲む虫のよう
　半生の乾燥に耐えメスを得る虫のよう

西へすすむにつれ私はちぢむ
　西へすすむにつれ等高は乱れる

無限の右の繊維が裂けて
　右の無限の胞衣がはじけて

白磁のような外がのぞいた

外ではまた元素が沸き立つ

振り仰げばまだら母の深み
　うらうらしく均されたまだら母あれ

るりるりるり
　ちたちたちた

全身にその刺青をほどこしてもらう
　全身がその刺青をことほいでしまう

ごらんのように、各連は一行とそのルサンブランスからなっていて、あるいはルサンブランスを介して一行からのずれが仕掛けられているともいえます。もともとは『幸福な物質』（二〇〇二）所収の「ちたちたちた」という詩で、その各行にルサンブランスを与えて二倍の長さにしてあります。ルサンブランスとはずれ、つまり差異のことなのかもしれません。

ここで思い出されるのは、杉中さんも言及されていた入沢康夫の詩学です。杉中さんは「類似」という詩を挙げていたわけですが、もうひとつ、「夜」（『倖せ　それとも不倖せ』所収、一九五五）という詩もなかなかに意味深く、そこではあきらかにずれが主題になっています。冒頭の三行を引きましょう。

彼女の住所は四十番の一だつた
所で僕は四十番の二へ出かけていつたのだ
四十番の二には　片輪の猿がすんでいた

ポエジーの在処は彼女の住む「四十番の一」なのに、「僕」（作中主体＝作者のルサンブランス）は「四十番の二」に辿り着いてしまう。杉中さんの言葉を借りれば、まさに「書かれた詩には、ポエジーは存在しない。ポエジーは詩人に内在するものであり、詩はポエジーの似姿にすぎない」。これを別の観点からいえば、作品は作者のルサンブランスですが、作品が作者を裏切ることもある、ということでしょうか。

さて、今回ぼくが試みたルサンブランス実践は、杉中さんのコンセプトとはずれてしまうかもしれませんが、自分の生涯が描かれた絵の展覧会を見て歩くという奇妙な幻想にもとづいています。絵から絵へ、ルサンブランスが果たされていくわけですが、同時に、それらはひとしく真っ黒に塗りつぶされているので、見た目の差異はなくなってしまっている。つまり、ルサンブランスの消失。また、画家の不在が暗示されているので、作者と作品のルサンブランスもなくなってしまっている。ただ、絵のほんとうの作者は、絵を見て歩いている私かもしれない、というわけで、そこにあらたなルサンブランスが生じているといえるかもしれません。

ルサンブランス実践

（いつの日にか、朝焼けの歩廊を……）

いつの日にか、朝焼けの歩廊を
私は行くだろう、
ささやかれたのだ、誕生からずっとつづく
私という何枚もの黒い絵、
それがその歩廊に架けられている、と、

朝焼けに映え、絵はどれも美しい、
五歳の私の快活にせよ、五十歳の私の憤怒にせよ、
黒のうえにも黒く塗りつぶさなければ
絵は完成されない、
というように
美しい、

私が愛した女たちも

あわれ画面に、
黒すぐりのジャムさながらに凝り、
中心にくっきり
割れ目、
そこから吹き出る砂礫のような別の生も黒い、
ざらざらと黒い、

こうして、朝焼けの歩廊を、馬鹿な、
私はもう
歩き始めているではないか、

歩廊の尽きるあたりに、いましも最後の
一枚の絵
が描き出されつつあるようだ、
画家はどこにいるか、
私は近づく、
みるとまだ軽く、青の一刷毛が走っているだけ、
それも最後には
黒く塗りつぶされるのであろうか、

でも画家はどこにいるか、
どこに、

こうして、朝焼けの歩廊の奥で、錯乱しはじめる私
をみている、もうひとりの私、
そう、画家の不在の
位置から――

第三信　杉中→野村

野村さん、ルサンブランス実践、楽しく拝読しました。また、野村さんのルサンブランスについてのお考えも面白かったです。ルサンブランスとシミュラークル、確かに仰る通り同じような概念なのかもしれません。野村さんは「シミュラークルのほうが本体／コピーという関係を含み、なおかつ、コピーが本体を離れて勝手に自走し増殖するような意味合いをもつでしょうから、ルリンブランスのほうが静的で安定しているという印象があります」と書かれています。まさにその通りだと思います。ルサンブランスは、肖像画がモデルに似ていることを、ルサンブランスと言うのが普通のようです。その肖像画そのものもルサンブランスである。けれども、ルサンブランスもシミュラークルのように自立しているということを言う人もいます（ジャン＝リュック・ナンシ

ー『肖像の眼差し』、二〇〇〇）。が、やはり、ルサンブランスは類似で、モデルがあり、シミュラークルは必ずしもモデルは必要ないということでしょう。例えば詩人がいて、その詩人の肖像画を描くとき（野村さんのルサンブランス実践「（いつの日にか、朝焼けの歩廊を……）」もまさに、それを主題にしていますが）、詩人がモデルで、その肖像画がルサンブランスです。一方、架空の詩人をアニメにするという場合を考えてみましょう（『文豪ストレイドッグス』というアニメがありました）。この場合、アニメのキャラとしての詩人は、モデルとなった詩人と似ていない、あるいはモデルとなる詩人そのものが存在しない場合もあるでしょう。モデルとかけ離れたアニメのキャラとしての詩人、あるいはモデルが存在しないアニメキャラとしての詩人は、ルサンブランスではなくシミュラークルです。そして、アニメオタクにとっては、現実の詩人よりも、架空の、モデルの存在しないシミュラークルの詩人の方がむしろ現実的であり、リアルです。

「（あるいは他の茎）」は、一行が次の一行のルサンブランスとなる。確かに仰る通りです。これほど明確でなくても、多かれ少なかれ、詩は、あらゆる詩は、ルサンブランスとして書かれています。「（あるいは他の茎）」の場合、「他の茎のなかでめざめた」と「他の茎のなかへあふれた」は、類似というより、模倣（ミメーシス）に近いのかもしれません。この類似と模倣の関係は、ちょっと私も今すぐは判りません。が、野村さんのこの「（あるいは他の茎）」と野村さんの解説を読んで思い出したのが、やはり入沢さんのある詩です。野村さんの「（あるいは他の茎）」は、一行目に二行目が対応し、三行目に四行目が対応し、という風に、「各連は一行とそのルサンブランスからなっていて、あるいはルサンブランスを介して、一行からのずれが仕掛けられているともいえます」。つまり、奇数の行だけ読んでいくと「ちたちたちた」という詩になり、偶数行だけ読んでいくと、その「ちたちたちた」のルサンブランス（あるいはミメーシス）になっています。私が思い出した入沢さんの詩というのは、ある土地があり、その土地の上に原寸大の地図を広げるというものです。土地のひとつひとつに対応するようにその上に拡げられた原寸大の地図が展開する。まさに「（あるいは他の茎）」の奇数行は「現実の土地」に、そして、偶数行は「原寸大の地図」に類似しているんじゃないか。

ルサンブランス実践「（いつの日にか、朝焼けの歩廊を……）」。詩人の肖像画が、どれも黒く塗り潰された絵である、ということ。人生の各瞬間の肖像が黒く塗り潰され、詩人の愛した女たちもが、黒く塗り潰されている。人生最後の一枚、つまりは死ぬ瞬間の詩人の肖像が、今、まさに描かれている。そこには「まだ軽く、青の一刷毛が走っているだけ」だ。それも「最後は黒く塗りつぶされる」のだろう。つまり、人生の各瞬間を捉えた、何枚もの絵も、始めから黒く塗り潰されていたのではなく、何らかの（例えば青の一刷毛）筆のタッチが描かれていたのではないか。何かが、描かれ、その後、黒く塗り潰される。絵を描いているのは誰か、青の一刷毛のように何らかの表象を描こうとしているのは誰か、そして、その表象を黒く塗り潰しているのは誰か。黒もひとつの表象であろうか。黒く塗り潰された画布、それを、詩人は「美しい」と言う。「黒く塗り潰されたカンヴァス」が詩人のルサンブランスであるとするなら、モデルの詩人も実は「黒く塗り潰されている」のかもしれません。そして、詩人は「黒く塗り潰される」ことが「美しい」とも感じている。

第四信　野村↓杉中

面白いですね、モデルの詩人も実は黒く塗り潰されているのかもしれないとは。それから、「黒もひとつの表象であろうか」という問い。表象を黒く塗り潰す行為もまた表象でしょうが、それは表象を無にする表象であって、なんだか自殺行為のようにもみえますけど、すべてを黒く塗り潰すとは、死の欲動みたいなものでしょうか。白紙還元とはちがう感じがします。エクリチュールの問題としても、白紙還元はそこからまた書き始めることができるけれど、黒の上に黒く書くことはできない。白紙還元が輪廻転生だとすると、黒は、もうそこからはなにも生じない、輪廻しないという仏教的な悟りの境地でしょうか。いや、そうともかぎらない。老荘思想では黒い色は玄、つまり微妙で深遠な理をあらわし、玄牝といえば万物の根源です。べつの宇宙科学的見地からしても、黒はむしろ生産的な色で、たとえば暗黒星雲という黒いガスの塊から星は生成されるらしいし、ふと思い起こされるのは、ランボーがその「母音」において、最初の母音「A」を黒という色に結びつけたことです。もっとも、そのあと、蝿の「毛むくじゃらの黒いコルセット」とつづくわけですけれど。

A、無惨な悪臭のまわりを唸り飛ぶ
きらめき光る蝿どもの毛むくじゃらの黒いコルセット
（粟津則雄訳）

おや、ルサンブランスとはずいぶんずれてしまいました。しかし、このずれもまた、ルサンブランスの副産物でしょう。ルサンブランスつまり類似性はメタファーを構成する原理であるわけですが、そこからさらにずれを仕掛けて、換喩的な逃走線の方向をひろげてゆく、ということも可能でしょう。ぼくは最近、『危機を生きる言葉』(二〇一九)という時評的詩論集のイントロダクションに、「詩とは、一方で深さへのノスタルジー(メタファー)であり、他方で、その深さからの無限の逃走線(=換喩)への憧れである」と書きました。

7　メシア

第一信　杉中→野村

メシア

批評家にとって、詩人はメシアである。詩人によって、文学は、詩は、芸術は救済される。批評家は、詩人というメシアの詩＝福音について語る、記述する、単なる記録者にすぎない。詩人によって、絶え間ない詩の刷新、詩の更新、詩の上書きにより、詩は救済される。そして、記述者である批評家は、その詩人というメシアによって齎された、新たな詩を、解釈したり、批評したり、記述したり、記録したりする。批評家は、歴史を描く者だ。歴史が刷新され、新たな詩が生まれる、生産される。一方、詩人は、批評家をメシアとして期待している。自らの詩が、価値を持つように、意味を持つように、批評家というメシアによって救済されるのを望むのである。自らの詩が、将来において、未来において、自らの死後においてさえ、救済される可能性を、詩人は期待している。それこそが、メシアとしての批評家の使命である。

野村さん、メシアの詩をお願いします。

第一信補遺

詩人がメシアによって救済されるのは、文学史の終わりの時である。文学史が終わったとき、メシアが到来し、詩人のうちある者を救済し、ある者は救済されない。文学史の終わりという黙示録的な事態において、メシアは出現する。詩人は、生前にあるいは、死後においてさえ、世俗的な成功や評価を期待するべきではない。世俗的な成功や評価というものは、メシアの救済とは、なんら関係ないものだ。文学史の終わりとは、例えば、吉岡実の「想像力は死んだ」時代であり、瀬尾育生の「詩は死んだ」時代である（ベケットの「imagination dead」）。想像力が死に、詩が死んだとき、メシアが現れる。そして、ある詩人は、生きている者も、死んでいる者も、等しくメシアによって救済される。現世における、世俗的な、毀誉褒貶、批評家による詩人の評価のようなものは、実は、メシア的な現れ、メシアが現世や世俗的なものに及ぼしている、影響のようなものである。一方で、メシアによる現世の世俗的な小さな救済のようなものも行われている。吉岡実の「想像力は死んだ、想像せよ」あるいは瀬尾育生の「詩は死んだ、詩作せよ」と言われるように、想像力が死んでいるにもかかわらず、メシアによる小さな救済のようなものが行われ、詩人によって、想像力が死んだ後も想像されるのである。つまり、詩人は小さなメシアとなって、詩を、想像力を救済するのである。同様に、詩が死んだ世界において、詩作することによって、詩の現世における世俗的な小さな救済が行われる。詩人はやはり小さなメシアのように振舞うのである。

第二信　野村↓杉中

いやはや、驚きました。詩人と批評家、あるいは詩とメタ詩（＝批評）の関係をメシアとそれによる救済と捉えるとは。まず詩人がメシアとして到来し、そのようにしてもたらされた詩を、今度は批評家が解釈し批評し、そのようにしてメシアとして詩人を救済するとは。

これをそのままわれわれの場合にあてはめれば、ぼくがパラタクシス実践して詩を提示することがメシア的行為であり、同時にぼくは、その詩が杉中さんの批評によって意味づけられ価値づけられるという、いわばメシアの到来を待望しているということになります。

背景にあるのは、やはりベンヤミンでしょうか。ベンヤミンについては、ぼくはその代表的な著作のいくつかをつまみ食いしているにすぎませんが、ユダヤ神秘主義との関係はよく指摘されることで、自身の批評をメシア的行為として捉えていたふしがあるようです。

とすると、われわれのパラタクシス詩学、それはこれまでのところ、ベンヤミン、アドルノ、ツエランといったユダヤ系ドイツ語圏思想や文学のコンテクストに幾分か寄り添ってきたような傾きをもつのではないでしょうか。ぼくはその方面の門外漢なので、それをただ面白がっているだけですが、杉中さんの場合は、かなり読み込んでいる感じですね。おかげで、ぼくの視野もひろがり、それから、これまでぼくが詩作において無意識のうちにやってきたことが、そうかそういうことだったのかと、気づかされた点も多々あります。

しかしそれにしても、詩と批評の相互メシア（？）的関係を詩にするなんて、とても無理。そこで、メシアを、救い主というふつうの意味のほうにやや引き戻してみます。もっとも、ユダヤ＝キリスト教的なものとはおおむね縁遠いまま生きてきたぼくの場合は、いや多くの日本人がそうだと思いますけど、メシアなるものを思い描くということ自体容易なことではありません。ただ、メシアは終末論的展望と切り離せないわけで、するとわずかに、キリスト者石原吉郎の詩やエッセイが思い出されてきました。石原の作品には終末論的な夕焼けの光景がしばしば登場します。たとえば、

夕焼けが棲む髭のなかの
その小さな目が拒むものは
夕焼けのなかへ
返してやれ

（「やぽんすきい・ぼおぐ」部分）

というように。「夕焼けが棲む髭」って、なんとなくメシアの換喩的現出という感じがしません？また石原に私淑した清水昶の詩にたしか「夕焼け領」というのがありました。それらを紡いで、かろうじてメシア実践をなし得たというところです。せっかく詩と批評の相互メシア性という卓見を

いただいたのに、お許しを。

メシア実践

ねえメシア

ねえメシア、

この国できみの出番はないけれど、

ねえメシア、

どんなに空中を自由に飛び回っても、鳥は結局、自分の影のうえに降り立つしかない、

ねえメシア、

私は何も計画しない、また何にも約束されていない、ただ賭けをするだけだ、競馬場に身を置いたときのような、いま私を襲うえもいわれぬすがすがしさは、そこに由来する、

ねえメシア、

夕焼け領という美しい言葉が、誰かの詩にあったように思う、夕焼けがなにかしら終末論的な展望に結びつくことをぼくは否定しない、だが夕焼け領は、それをいわばそれ自身へと囲い込むひとつの修辞ではないだろうか、

ねえメシア、

革命にせよ、きみの到来にせよ、未来のある時点を仮想してそこに現在が収斂してゆくというような時間意識は、もはやわれわれのものではない、そして未来がなくなったその分だけ、よくも悪くも、現在がせりあがり、水ならぬ灰のさざなみのように、果てしもなくひろがってゆく、それでも夕焼け領は十分に美しいというべきだろうか、

ねえメシア、

ぼくはきみの何だろう、きみはぼくの何だろう、仮にぼくがぼくの夕焼け領をうたうとして、きみはそれを美しいものとして囲い込むだろうか、それとも、夕焼けと夕焼け領との微妙な差異を、あえて押しひらこうとするだろうか、

ねえメシア、
めざめは夢への暴動である、正午はめざめへの暴動である、そしてとりわけ、たそがれどき、夕焼け領は正午への暴動である、
ねえメシア、
そのどこのトランジットに、きみはいるのか、
ねえメシア、

第三信　杉中↓野村

野村さん。メシア実践、楽しく拝読しました。メシアに対して「ねえメシア」と呼び掛ける手法は、ツェランの「テネブレ」（『言葉の格子』所収、一九五九）のような詩、神への呼びかけの詩を思い出しました。ツェランは「主よ、祈れ、私たちのために」と、呼び掛けというより、半ば命令のように言っているわけですが（ツェランには神に対してDu（あなた）と呼び掛けている詩もあったように思います）。恐らく神との対話というものは原理的に不可能だと思いますが、それでも、

詩人は、やはり神に呼び掛ける。だがその呼び掛けは、神からの応答や返答を、必ずしも期待しているというわけでもないようです。それは、やはり祈りのようなものでしょうか。野村さんの「ねえメシア」も、実は祈りの形式のようなものなのかもしれません。祈りというものは、対話や伝達というより、やはり独り言のようなものなのかもしれません。私たちは祈るとき、私たちに自身に対して祈っている。それは、私たちの内なる神に対して祈っているのかもしれません。私たちは私たちの内なる神に対して、私たち自身に対して祈る、独り言の祈りを祈っているんじゃないか。詩とは、そのようなものかもしれません。詩もやはり対話や伝達というよりは、独り言に近い何かです。が、詩は神に対して祈るというよりは、詩の神の声を聞いて、それを書き取っている。祈りが〈詩人→神〉の通路だとするなら、詩は〈神→人間〉の通路なのかもしれません。

そして、「夕焼け領」という謎めいた言葉。夕焼けは単純に一日の終わり、すなわち、世界の終わり、終末のイメージに近いでしょう（野村さん風に言うなら、夕焼けは世界の終わりのメタファーでしょうか）。この「夕焼け」に「領」が付いています。夕焼け領という区切られた、一時。この一瞬のような時間に、メシアは現れる。それはトランジットであるとも言われます。野村さんのこの「トランジット」という概念、面白いですね。いずれ、「パラタクシス詩学」で取り上げてみるのも面白いかもしれません。「トランジット」を乗り換え、あるいは、乗り換えの空港のようなものと考えるなら、神の支配した世界が、メシアによって救済された世界に乗り換えられる、刷新される、というような感じでしょうか。あるいは、私たちが神という乗り物から、メシアという乗り物に乗り換えるということでしょうか。いずれにしろ、トランジットについては深く考えてみるのも面白いかと思います。野村さん、私は何度も申し上げておりますが、外国語が全くできません。

野村さんのフランス語に匹敵するような外国語を私は持ちません。ツェランにしろ、もっぱら翻訳で読んでいるわけで、それを言うなら、ランボーもルネ・シャールも翻訳でのみ読んでいるわけです。が、私にとっては、日本語で書かれた詩も、実は外国語のようなものであり、私は外国語を読むように〈日本語で書かれた詩〉を読んでいます。とするなら、唯一、私ができる外国語は〈日本語で書かれた詩〉です。といっても、〈日本語で書かれた詩〉に精通しているわけではないですが。

あと、野村さんは、メシアはユダヤ＝キリスト教的な概念であり、我々日本人には馴染みがない、というようなことを仰ってますが、実は、東洋や日本にも「弥勒菩薩」というメシア的な概念があります。弥勒菩薩は、釈迦入滅後の無仏の時代に、遥か未来、人々を救済するために現れると言われている仏です。仏というのは実はたった一人の仏が、何世代も生まれ変わっていると言われています。釈迦以前にも、何人もの仏はいましたが、一人の仏が死ぬと、別の仏に生まれ変わります。だから、すべての仏はたった一人の仏が何世代も生まれ変わっているのです。それは輪廻とも言えます。釈迦は、悟りを開いて、輪廻という生まれ変わりを断ち切ります。輪廻の輪から釈迦は解脱するわけで、これによって、釈迦はもう生まれ変わることがありません。釈迦は解脱して無になったのであり、これが釈迦入滅です。釈迦が入滅した後、仏はもう生まれ変わりませんから、今は、仏がいない世界です。これを無仏の時代といいます。この、釈迦入滅後の無仏の時代が続き、その遥か未来に、世界や人々を救うために現れるのが、メシアとしての弥勒菩薩です。

詩人と批評家のメシア的関係で、私がイメージしていたのは、〈ヘルダーリンとハイデガー〉の関係です。ハイデガーのヘルダーリン理解は、アドルノなどによって批判されていますが、それでも、ヘルダーリンとハイデガーの関係は、蜜月関係といいますか、いい関係だと思います。ヘルダーリンにとってハイデガーはメシアであっただろうし、ハイデガーにとってもヘルダーリンはメシアであったでしょう。

第四信　野村↓杉中

そうか、メシア＋輪廻。面白いですね。キリスト教と仏教は、水と油とばかり思っていましたから。ふと、ドゥルーズの『ニーチェ』経由で、ニーチェの「永遠回帰」なるものも思い出されてきました。数式であらわせば、永遠回帰＝反復－(メシア＋輪廻)みたいで、それだけ反復という概念が純粋に極大的に取り出されたという感じでしょうか。メシアも輪廻もない。回帰するのはいまここにいる自分だけだ。ゆえに、「今のこの人生を、もう一度そっくりそのまま繰り返してもかまわないという生き方をしてみよ」(『ツァラトゥストラはかく語りき』)というわけです。

それから、トランジット、これも面白いですね。ぼくはこういう閾のような場所が好きなんですね、きっと。非常口とか、踊り場とか、コンコースとかと同じように。ぼくの詩作の原動力であるところの、移動と律動と眩暈と、それらがいっせいにそこに流れ込み、犇めきあい、ふたたびそこから出ようとしているかのようです。翻訳も一種のトランジットの場でしょう。やりましょう。「パラタクシス詩学」のひとつとして、ぜひ、トランジットをコンセプト化してください。

8　聖なるもの

第一信　杉中↓野村

聖なるもの

聖なるものとは、隔離されたものである。伝染病のように、伝播することが恐れられ、聖なるものは隔離される。逆に、聖なるものは自らを隔離しているといえる。人間が、自らの意思や、意図で、聖なるものを隔離するのではない、隔離できない。むしろ、自らを人間の世界から隔離するものが、聖なるものではないか。人間は、聖なるものが人間の世界に伝播するのを恐れているというよりは、ある種の侵犯行為によって、自らを隔離する聖なるものに、触れようとする。聖なるものに触れることによって、何かを失うはめになろうとも。聖なるものに触れるには、代償が必要である。何の代償も払わずに安全なところから聖なるものに触れることはできない。許されない。命を失う。視力を失う。足を、手を失う。何らかの掛け替えのない代償を払ってでも、聖なるものに触れたいという欲求が人間にはある。トラウマを得ることになっても。

野村さん、聖なるものの詩をお願いします。

第一信補遺

聖なるものとは、ひとつの充実した領域、充実した空間である。聖なるものは、ある連続した身体であり、私たち人間は、聖なるものとは非連続である。聖なるものは、神のようなものであり、自然のようなものであり、世界のようなものである。人間は神と共にあるとしても、神と連続しているわけではない。人間は自然や世界の中にあるとしても、自然や世界と連続しているわけではない。人間は、聖なるものから拒絶されているようでもあり、聖なるものから拒絶されるという資質を、進化論的に（あるいは突然変異的に）、獲得したとも言える。人間は聖なるものを失うことによって進化したのであり、聖なるものとの合一を失うことによって進化したのである。それでも人間は聖なるものに触れたいと思う。それは、退化なのか。あるいは、聖なるものと断裂した人間が、改めて、先祖帰り的に、再び聖なるものを求めるということは、更なる進化なのだろうか。聖なるものに触れるには、代償が必要である。聖なるものに触れたとき、人間は何かを失う。例えば、パウロは神（イエス・キリスト）の声を聞いたとき（聖なるものに触れた瞬間）、視力を失う。『使徒のはたらき』から引用する。「ところが進んでいってダマスコに近づくと、突然、天から光がさして彼のまわりを照らした。彼は地上に倒れ、『サウロ、サウロ、なぜわたしを迫害するのか』と言う声を聞いた。サウロが言った。『主よ、あなたはどなたですか。』彼がいわれた、『わたしだ、あなたが迫害しているイエスだ。さあ起きて、町に入れ。そうすれば、せねばならぬことが告げられる。』一緒に来た者たちは唖然としてそこに立っていた。声は聞いたが、だれも見えなかったのである。サウロは地から起き上がって目をあけたが、何も見えなかった。人々が手を引いて、ダマスコにつれて行った。三日のあいだ目が見えず、また何も食べも飲みもしなかった。」(「ダマスコの町の外での幻」、岩波文庫)ここで重要なのは、イエスの姿が見えないということ、聖なるものは隠されているということだ。聖なるものは「天からの光」として表象され、「声」として表象される。だが、聖なるものの本体の姿は見えない。聖なるもの(イエス)はサウロ(パウロ)に隠されている。パウロには、イエスが聖なるものであるという認識はない。むしろ、パウロにとってイエスは、蔑むべき迫害の対象である。だから、パウロはイエスが聖なるものとして目の前に登場することを、期待も予測もしていない。むしろ、パウロには聖なるものが触れようとすることは青天の霹靂、寝耳に水である。パウロは、自らが迫害したゆえに、聖なるものに触れることを強制され、かつ、聖なるものに触れた代償を払わされる。パウロは失明するのである(後にパウロの視力は回復する)。聖なるものに触れることには代償が必要であるという例は、例えば、入沢康夫の『漂ふ舟わが地獄くだり』(一九九四)にも現れる。地獄という、ある種の聖域、聖なるものに触れようとした入沢は、地獄に、聖なるものに触れようとした途端、その代償として大切な伴侶を、妻を、失う。『漂ふ舟』から引用する。「旅のさなかにあって　俺は　かけがへのない道連れを　導き手を

決定的に失つた　喉頸に刃物を押し当てた日々を過ごした」。これは野村さんの用語で言えば、オルフェウス的主題の一種といえるでしょう。

第二信　野村↓杉中

第一信、拝見。聖なるものを正確に定義しつつ、最後はオルフェウス的主題に結びつけていただきました。まずは感謝です。『オルフェウス的主題』（二〇〇八）という本を書いたのはもうずっと以前のことで、そこで萩原朔太郎や宮澤賢治とともに入沢康夫を論じたわけです。『漂ふ舟』にも言及しました。いまふと思い出されるのは、入沢さんの専門でもあったジェラール・ド・ネルヴァル、とりわけその珠玉の短篇『シルヴィー』ですね。パリで売文業をしている男が、夜毎、オーレリーという女優が目当てで劇場に通う。ある夜、その劇場で故郷の祭の情報を得ると、記憶の不思議な湧出に誘われるように、そのまま辻馬車に乗ってパリ北方数十キロにある生まれ故郷を訪れ、幼馴染みの娘シルヴィーに再会する一方、城館の庭での美少女アドリエンヌとの邂逅が無意志的に想起され、自分が女優に執心しているのは、実はアドリエンヌの面影を追ってのことだったのだと気づく。記憶の湧出というクロノスの裂け目――のちにプルーストにも影響を与えてゆくわけですが――においてのみ生きている神秘な女性、まさに聖なるものの顕現（エピファニー）ですね。実はこの『シルヴィー』がぼくは好きで、私自身も東京近郊数十キロにある農村地帯の生まれ育ちなので、いまでもときおりそこを訪れるとき、この物語の主人公に自分を重ねながら感傷にふけることがあります。ぼくにとってのシルヴィー、ぼくにとってのアドリエンヌ……

妄想はまあこのくらいにして、聖なるものといえば、やはりバタイユでしょうか。学生の頃、集中的に読んだ記憶があります。いま、時間がなくて再読を果たせませんが、記憶によれば、バタイユにおいて聖なるものは、禁忌と侵犯の弁証法のうちに捉えられていました。一種の呼び戻しですね。いったん聖なるものを隔離して人間的秩序を築き、それからその秩序に退屈（？）して、呼び戻す。これは杉中さんの文脈にも重なるわけで、「聖なるものと断裂した人間が、改めて、先祖帰り的に、再び聖なるものを求める」。こうして聖なるものは、バタイユにおいて、一方で宗教性と、他方でエロティシズムと不可分に結びついていきますが、どちらも消尽とか供犠とか内的体験とかの、容易に表象され得ない過剰な出来事がベースになっていました。それをなお表象しようとする行為が文学や演劇であるわけです。詩と聖性、ですね。

それから、最近では、アガンベンの『ホモ・サケル』。アガンベンは、フーコーの生政治という思想を引き継ぐ文脈で、排除的に包摂され、包摂的に排除されるような、ちょうど人間と非人間の閾にある存在を「ホモ・サケル（聖なる人間）」と呼んでいたように思います。

さてそこで、実践。数年前ぼくは「ミミズ」という詩を書きましたが（『薄明のサウダージ』所収、二〇一九）、排除と包摂の関係でいえば、ミミズこそ聖なるものです。バスに乗ったらミミズがいて、変容しつつ乗客のあいだに神出鬼没するという夢魔的な詩篇ですが、後半部分を引用してみます。

排除的に包摂され包摂的

に排除され
そうこうするうちにミミズは消えてしまった
のではなく
前方の乗客のひとりの衣服にもぐりこみ
男だか女だか
その乗客は悲鳴をあげる
しばらくして
今度は私のシャツのなかにあらわれ
背中のあたりをもぞもぞと動くので
やめてくれ
私は私自身ミミズのようにのたくりながら
声にならない脱自の叫びを上げる
包摂的に排除され排除的
に包摂され
天空へ
大切なのはミミズだ

しかしミミズが聖なるものではあんまりでしょうから、もうすこしましな例を提示すべく、以下の散文形式の詩を書きました。ぼくの実生活に取材した作品です。

幻獣ルーアッハ

ルーアッハは最初からルーアッハだったわけではない。ある時期までは、ふつうの犬、雄のジャーマンシェパードで、私と妻は彼をガブリエルと命名し、略してガブと呼んでいた。

私たちは彼を家飼い、つまり居間の一角にサークルを置き、そこに彼を入れていた。したがって私たちが外出しないかぎり、あるいは二階の書斎や寝室に行かないかぎり、私たちとガブリエルはつねに同じ空間にいて、同じ空気を吸い、よろこびも悲しみもともに分かち合う運命共同体のなかにいた。

ところが、犬でいえば高齢の十歳を迎えた頃から、胃腸の障害が出て、頻繁に下痢をするようになった。獣医師によれば、治ることはないという。しかも、家で下痢をされると後始末が大変なので、私たちは彼を外に出さざるを得なくなり、庭に繋いで飼うことにした。

すると不思議なことが起こった。ある夜、家の中にいる私たちが恋しいのか、淋しそうに吠えながら、ガブリエルが家のまわりをぐるぐると歩きまわっているような気がしたのである。まさか。彼は繋がれているはずだ。私たちは夢でもみていたのだろう。しかし、つぎの日の夜も、つぎのつぎの日の夜も、同じ気配を感じた。そこで、もしやと二階の窓から庭をのぞいてみると、まぎれもなく私たちの愛犬が、下痢のために痩せほそり、ほとんど骨と皮だけになりながら、家のまわりをまわっているのだった。しかもその骨が、月光にレントゲン写真のように透けて蒼白く浮かび上がるさまは、息を呑むほどに美しく、また痛ましかった。ガブリエル！　きみはそこまでして私たちと……　私たちの頬を涙がつたった。だがそれも数日のあいだのことで、やがて骨もみえなくなった。

ガブリエルは消えてしまったのである。いや、そんなことはない。透明になっただけだ。ときどき、私たちを呼ぶ弱々しい吠え声が聞こえるので、そこに彼がいるとわかるのだ。私たちはそれで、彼をルーアッハと呼ぶようになった。ルーアッハとはヘブライ語で風、とりわけ霊の風という意味である。

昼のあいだはどこにいるのかわからない。しかし夜になると、私たちが寝についているあいだ、ルーアッハは家のまわりをまわっている。みえないが、遊星のように。ひとりでは淋しいのだろう、やがて庭のいろんなものを巻き添えにしながら。ルーアッハ、錆びた自転車、薔薇のための土、それからまたルーアッハ、羊歯、錆びた自転車、薔薇のための土、蟋蟀、ルーアッハ……

＊

この幻獣ルーアッハは、「聖なるものとは、隔離されたものである」という杉中さんの定義を一応満たしています。アガンベン風にいえば、まさに「排除的に包摂され、包摂的に排除」されているわけです。でもちょっと弱い。「聖なるもの」であるルーアッハとの関係において作中の「私たち」は、杉中さんによる聖なるものの第二の条件、「聖なるものに触れるには、代償が必要である」という条件を満たしていません。前出『シルヴィー』をふたたび例に出して言うと、聖なるものの顕現と引き換えに、作者ネルヴァルは狂気に陥ってしまうわけです。そこでたとえばルーアッハが家のまわりをまわるようになってから、「私たち」の日常生活にも狂いが生じていったとか、そういうことも書くべきだったのでしょう。しかし、仕方ありません。「幻獣ルーアッハ」を、聖なるものの実践としてとりあえず提出します。なお、最終節は、ストレッタ実践「(母さん、井戸である母さん……)」の、「それから片耳の犬、遺棄された自転車、薔薇のための土、／それらがやがて、遊星のように、／まわり始める、あなたの臨終のまわりで」という詩句の焼き直しですが、お許しを。

第三信　杉中→野村

野村さん、聖なるもの実践「幻獣ルーアッハ」、楽しく拝読しました。まずは、順番に、野村さんの第三信にお答えしたいと思います。

まずはネルヴァル。ネルヴァルにとって、女性、とりわけ特定の女性でしょうが、あるいは、女性一般と言ってもいいんじゃないかと思いますが、女性そのものが聖なるものだったんじゃないかと思います。女性が、女神のように、触れえないもの、到達できないもの、のように描かれているように思います。これは、野村さんのご専門のルネ・シャールにも通じるのではないかと。野村さんの『ルネ・シャール詩集』(二〇一九)を拝読して知りましたが、ルネ・シャールが大の女好きであったと。ネルヴァルは現実の女とは、あまり、交通がなかったようですが、ルネ・シャールは文字通り、生身の女、肉体としての女と関係している。けれども、ルネ・シャールにとって、女とは、世俗的なもの、というよりは、むしろ、詩における女、女神のような、美そのもののような表象としての女でもあります。そのような美のようなもの、女そのものは、やはり到達不可能な何かで、それは、肉体としての女と幾ら関わりを持ったとしても、触れえない何かです。美とは、ルネ・シャールにとって、やはり聖なるものであったのではないかと。それは、詩のようなものでもあったでしょう。詩そのものもやはり聖なるものです。聖なるものの禁忌や侵犯というアイディアは、野村さんの仰る通り、元ネタはバタイユです。私はバタイユが非常に好きで、といっても、バタイユを大して読んでいるわけでもなく、また、バタイユを理解しているとは到底言えません。バタイユは底知れない何かがあり、常人には理解できない何か、バタイユそのものが聖なるものでもあるかのようです。聖なるものと供犠の関係で言えば、バタイユはアセファルという秘密結社を作ろうとしました。アセファルで供犠を行い（実際、人を殺そうとしたようです。殺されてもいいという女もいて、バタイユはやりそうだったのですが）、聖なるものに触れようとした。聖なるもの、とは、死の体験です。バタイユは一人の女の命と引き換えに死の体験という聖なるものに触れようとしました。アガンベンの『ホモ・サケル』（二〇〇八）は、この犠牲と聖なるものが一体になったようなものです。王であるものが聖なるものとして、あらゆることを許される、殺人さえ許される、だが、最後にはこの王はある期間が過ぎると、殺される。聖なるものに触れるための代償のように。聖なるものとは、清らかな、崇高なものであり、逆に、穢れたもの、汚辱に塗れたものです。天国が聖なる場所であると同時に、地獄も聖なる場所です。ミミズが聖なるものであっても全く構わない。

聖なるもの実践「幻獣ルーアッハ」ですが、悲しい体験が描かれています。大切なもの、大切な仲間が失われる。失われようとしている。大切な何かが、穢され、汚辱に塗れているが、やがてそれは浄化され、透明化されます。「胃腸の障害が出て、頻繁に下痢をするようになった」ガブリエルが、その下痢ゆえに、家から追い出される（「下痢」というタームは、吉岡実を思い出します）。そして、家から追い出され、「私たち」夫婦とは隔絶されたガブリエルが「下痢のために痩せほそり、ほとんど骨と皮だけになりながら家のまわりをまわっているのだった。しかもその骨が、月光にレントゲン写真のように透けて青白く浮かび上がるさまは、息を呑むほどに美しく、また痛ましかった」。痩せほそり、骨と皮だけになるガブリエル（天使の名前です）は、磔刑のイエスの痩せこけた体を連想させます。その姿は痛ましいほどに美しい。聖なるものとは、この、美しいガブリエル、ルーアッハとなったガブリエルであり、その聖なるものルーアッハに触れることを可能にした代償として、「私たち夫婦」は、ガブリエルという掛け替えのない家族を失うのです。ここでは、聖なるもの、と聖なるものに触れるために失われる代償とが、全く同じ何かであるということです。これは、聖なるものであるイエスを顕現させるために、やはり、そのイエスそのものを代償にする（磔刑にする）という構図とリンクします。

野村さんは『薄明のサウダージ』から「ミミズ」を引かれましたが、私は、別の詩「第四番（復活）」の〈あれ〉を聖なるものとして召喚したいと思います（「薄明のサウダージ」異文状片）。引用します。「あれについて私は、私たちとなつて、声をひそめて話す。あれがこの路地を通つて行つたといふのだが、ほんたうだらうか。」「人が通ることができればあれも通れる。そしてあれが通あれはあれと言ふしかないのであれと言つてゐるのだが、そのあれについて。」ここで〈あれ〉と言われているものこそ、〈聖なるもの〉ではないでしょうか。聖なるものとは、聖なるものと名指すことさえ本当は憚られるもので、強いて言えば、それは〈あれ〉と言う他ない。そして聖なるものに触れるのは〈私〉ではなく〈私たち〉です（これは「幻獣ルーアッハ」に触れるのが〈私たち〉夫婦であるのとリンクします）。なぜ、聖なるものに触れるのは〈私〉ではなく〈私たち〉なのか、私にも判りませんが、何か理由はあるのでしょう。続きを引用します。「でもどんな音楽？　するとそれまで話に加はつて居なかつた私のひとりが、いきなり脇から、フェルマアタめく血小板のあひだを、ヘモグロビンが狂ほしく咆哮するんだ、吹いてみようか、と言ひ出す、まるで息せき切つて、なんだおまえは？　みると、手にはたしかにトランペットを持つてゐる。といふことは、おまへもあれのひとりなのか？　まさか。ただ、おれそのものではないが、あれの影のひとつ、と言ふことはできるかもしれないな。」〈おまえ〉は〈あれ〉のひとりなのか、あるいは、〈あれ〉の影のひとつなのか。聖なるものとは、私たちから隔絶したものです。聖なるものは私たちを超越しているると言える。だが、聖なるものは私たちに内在しているとも言えます。聖なるものは私たちに内在していながら聖なるものは私たちから隔絶しています。私たちに絶対的に隔絶しながら私たちに内在している。それは、私たちを超越しているのです。だから、「あれこそが私たちの影でせう、あれは私たちを通してしかあらはれることができない」のです。聖なるものとは、私たちの影であり、私たちを通してしか現れることができないのです。

第四信　野村→杉中

『薄明のサウダージ』所収の「薄明のサウダージ第四番（あれ）」を取り上げていただき、うれしいです。「あれはあれといふしかないのであれといつてゐるのだが、そのあれについて」書いたわけですが、もちろん「あれ」を、たとえば怪物とか神とかと限定してしまったらたちまちただのお話になってしまうので、つまりわざと限定しないで書いたわけです。詩のテクストにするための一種のレトリックですが、もちろん前例がないわけではありません。探せばいくらでもみつかるでしょう。すぐさま思い出すのは、中原中也のあの「言葉なき歌」ですね。冒頭の連を書き写すと、

あれはとほいい処にあるのだけれど
おれはここで待つてゐなくてはならない
此処は空気もかすかで蒼く
葱の根のやうに仄かに淡い

中也ならこの「あれ」を「名辞以前」と自作解説するでしょうけど、つまり名づけ得ない何かですね、だから「あれ」としか言いようがない。しかしぼくの「薄明のサウダージ」の「あれ」はもうすこし生臭い。いまここにいるという感じもする。まあその程度の把捉のなかで書いていきま

した。で、とりあえず「あれ」にして、宙吊りにしておこうと。そういう書き手の心理もあったかなと思います。それゆえ、杉中さんの、「あれ」を「聖なるもの」に結びつけて、「聖なるものとは、聖なるものと名指すことさえ本当は憚られるもので、強いて言えば、それは〈あれ〉と言う他ない」という読み解きに、ぼくは驚き、かつ、うれしく思ったわけです。読み手の関与が作品を豊かにする、あるいは別のものにする一例を提示していただいたような感じがして、非常にありがたいなと。これだけでも、われわれがこの「パラタクシス詩学」という往復書簡をやっている意義があるのではないでしょうか。

9 黙示録

第一信　杉中↓野村

黙示録

歴史は過去を語るものだが、黙示録では、未来が歴史のように語られている。そして、未来は隠されている。黙示録は、暗号や暗示、象徴によって未来が語られる。黙示録や預言者にとって、未来は過去のように確定した事実である。神は過去のみならず未来をも確定したのであるから、神にとって未来は歴史のように確定した事実である。この神の言葉を、預言者や黙示録は、代弁し、なりかわって語るのである。そして、未来が、あからさまに語られることは、忌避される。未来が確定され、あまつさえ語られることを私たちは恐れる。なぜ私たちは未来が確定するのを恐れるのだろうか。未来が、明るく、希望に満ちているなら、確定された未来の到来を私たちは恐れることはない、むしろ望むだろう。だが、未来が、災厄であり、絶望と廃墟として確定され、語られるから、私たちは恐れるのである。

野村さん、黙示録の詩をお願いします。

第一信補遺

黙示録とは、覆いを取ることであり、隠されたものが晒される、暴露されることである。黙示録では、未来が、未来の幻が、終末が語られる。世界の終わり、世界の崩壊、世界の滅亡が語られる。世界が終わったとき、メシアが現れる。救世主は、世界を救済する。滅亡した世界から、メシアによって救われるものがある。一方で、世界が終焉しながら、他方で、その世界の終焉から救われるものがある。黙示録とは、世界の終わりの幻と、その、終わりからの救済の約束である。終わり＝死と、救済としての黙示録は、例えば、吉岡実の「想像力は死んだ　想像せよ」(imagination dead imagine) にも見ることができる（『吉岡実散文抄』、二〇〇六）。吉岡は自身の、個人的な想像力の死について語っているのだが、これを拡大解釈して、世界から想像力が死んだ、というふうにも読むことができる。（吉岡はこの言葉をベケットから引用している。ベケットの「死せる想像力よ想像せよ」から引用する。「どこにもひとかけらの人生もありゃしない、へん、楽な仕事さ、とあなたは言う、想像力は死なず、え、死んだって、そう、では死せる想像力よ、想像せよ。」（『ベケット短編集』片山昇訳、一九七二）世界で、想像力が死んでしまった、というのは、世界の終末、黙示録的な言い回しである。想像力が死に絶えてしまった世界、それは黙示録的な終末の世界だ。だが、にもかかわらず、吉岡は（ベケットは）「想像せよ」と言う。つまり、想像力が死んだ世界にも、救済はある、想像力は死んでいるにもかかわらず、想像することが黙示録的な救済なのだ。だから、「想像せよ」と、命令される。「想像せよ」という命令は救済なのだ。瀬尾育生は、この、吉岡の「想像力は死んだ　想像せよ」を更に拡大して、「詩は死んだ、詩作せよ」と言う（『われわれ自身である寓意』、一九九一）。瀬尾は、荒地的な、「世界」の終焉、「メタファーの終焉」に絡めて、詩は死んだ、と言っている。つまり、吉岡では個人的な事情だった「想像力の死」が、瀬尾では世界規模での「詩の死」に変奏されている。瀬尾の「詩は死んだ」も黙示録的な、世界の詩の終焉、黙示録的な事態である。世界で詩は死んでしまった、それは、世界の終わりである。一方で、瀬尾もまた、「詩作せよ」と言う。詩が死んでしまった世界の終わりにあっても、詩作することが救い、救済であるのだ。野村さんは『危機を生きる言葉――2010年代現代詩クロニクル』で、メタファーの復権というようなことを仰っています。瀬尾さんがメタファーの失効のようなものを詩の死と捉え、メタファーとは違う形で詩の死後に詩作せよと仰っているのとは好対照です。野村さんのメタファーの復権にしても、荒地や六〇年代詩のメタファーをそのまま今持ってくるということではないでしょう。むしろ、メタファーの新たな形、新たな用法を模索しようということではないかと思います。野村さんのメタファーの復権のようなものを、黙示録の文脈で言うなら、「メタファーは死んだ、メタファーの詩を書け」というような感じでしょうか。

第二信　野村→杉中

　この「パラタクシス詩学」も、いよいよ黙示録か。身が引き締まります。念のため、『新約聖書』巻末の「ヨハネの黙示録」を再読してみましたが、なんというか、あきれるほどの大量殺戮の幻視で、裏にある種の復讐心が透けてみえるようですね。ニーチェがキリスト教をルサンチマンの宗教と看破したのがわかるような気がします。まあ、詩作に際してはあまり原典にこだわる必要はないのでしょう。終わりが始めになる、ここが肝要なのですね。

　杉中さんの第一信でとりわけ面白かったのは、黙示録をなんと日本現代詩史に結びつけたことです。吉岡実の「想像力は死んだ、想像せよ」や瀬尾育生の「詩は死んだ、詩作せよ」という撞着語法を、「詩が死んでしまった世界の終わりにあっても、詩作することが救い、救済であるのだ」と杉中さんは読み解く。そうしてその文脈に『危機を生きる言葉』を位置づけてくれました。

　ところで、数日前、小泉義之さんの『ドゥルーズの霊性』（二〇一九）という本を読んでいたら、不思議なシンクロというべきでしょうか、たまたまその巻頭に黙示録についての言及がありました。引用してみます。小泉さんによれば、ドゥルーズは最初、『差異と反復』において黙示録的な書物を目指したそうですが、その後、自己批判に転じ、「現在的な意義を有する黙示録とは、将来の大虐殺や大破局や大量絶滅を予示するものではない。あるいは、科学技術の発展の果てで実現される近未来社会を予言するものでもない。そうではなくて、大虐殺・大破局・大量絶滅が起こってしまった後の宙吊りの時期の、奇怪な生存の時期を描き出す書物である。言い換えるなら、黙示録が告げる出来事を生き延びた者の位置に立って、現在を見直す書物である。また、黙示録的出来事によって一度は旧来の生命を絶たれた後に、それでも何とか生き延びて新たな生命を求めているものの、それを得てはいないがために、生きているとも死んでいるともつかぬゾンビの位置に立って、現在を見直す書物である。そのようなゾンビ的なポスト黙示録は、旧来の終末論的な黙示録に見られるような破壊欲動や死の欲動を免れており、そのかぎりで復讐精神も免れて、奇怪で不穏ではあるものの静謐な時代を提示するものになりうるかもしれない。おそらくドゥルーズは、その線を辿ろうとしている。」

この「ポスト黙示録」は、そのまま杉中さんの、「詩が死んでしまった世界の終わりにあっても、詩作することが救い、救済であるのだ」という展望とパラレルですよね。

もうひとつ、「奇怪で不穏ではあるものの静謐な時代」とあるこの「静謐」は、ポスト黙示録ならぬプレ黙示録をも浸すものであるのかもしれません。言うなれば、嵐の前の静けさ。たとえばキリスト者石原吉郎も、「半刻のあいだの静けさ——わが聖句」というエッセイにおいて、『聖書』への偏愛を語りつつ、「ヨハネ黙示録」なら、そこに描かれる世界の終末よりも、その直前の世界の静けさに注目して、「第七の封印を解き給ひたれば、凡そ半時のあいだ天静かなりき」というフレーズをエピグラフに掲げています。待機のような、あるいは猶予のような、その「半時」の静寂がよほど気に入ったのでしょう。

そんなことも考えながら、詩作してみました。「メタファーは死んだ、メタファーの詩を書け」の実践になっているかどうか、題して、「World's end café」。7という数字が原典「ヨハネ黙示録」

とのかかわりを示していますが、それよりも、黙示録的光景はカフェの奥に展開されるスペクタクル的なものに縮減されて、同時にそこから、「奇怪で不穏ではあるものの静謐な時代を提示するもの」があらわれ出ようとしているのではないか。そうであればよいと希望しつつ……　なお、「第二の扉が開かれた」のパートは、拙詩集『風の配分』（一九九九）の34番、「ヴィスコンティ通り」からの自己引用です。

黙示録実践

World's end café

World's end café への小径は、駅からのコンコースを経て始まり、やがて切り立った崖のなかに入って行った、奥に何があるのだろう、冒険心を掻き立てられながら、トンネル状の小径をなおも辿ってゆくと、不意に丸天井の明るい空間に出た、小さなパンテオンのようなそこが **World's end café** で、ぐるりの壁には、等間隔に七つの扉があった——

第一の扉が開かれた

みるまえに跳べ
という標語

その向こうのスクリーンに
鏡像めいた私たちの皮膚が跳んで跳んで
前後幾重にもふえ
どれが本体であり残像であるのか
いやそのすべてとなるのだ
跳んで跳んでしだいに透けてゆく私たちの皮膚
それは予兆とあらわれと痕跡と
そのすべてとなるのだ

第二の扉が開かれた

記憶のどこかの
昼なお暗いヴィスコンティ通り
ここでおまえは死ぬここでおまえは死ぬ
という声がして
声は壁に跳ね返って反響する
反響しながら
おそろしいまでにゆがみ増幅され
笑いは悲鳴になり悲鳴は笑いになる

あるいは血になる
血は幾何模様を描き
ここまでの恍惚ここに雪片は舞いここで別れよう
ここでおまえは死ぬここでおまえは死ぬ

第三の扉が開かれた

中空に古着のワンピースが吊るされ
ぶつくさ
独り言を言っている
《誰が私を脱ぎ捨てたのだろう
あるいは　誰から私は抜け出てきたのだろう
包むべき肉がないというのは
すがすがしい
さみしい
私は風に吹かれている
私は古着》

第四の扉が開かれた

塊をなした魂が床に十数体ころがっている
それぞれにはナンバーがふられ
まるまったやつ
でこぼこなやつ
穴だらけなやつ
ねじれたやつ
ゆえに
字が似ているだけじゃない
魂とは塊である
ゆえに
飛んで浮遊したりはしない
いまここにとどまり
ナンバー**3**さらにまるまれナンバー**5**さらにでこぼこに
ナンバー**7**さらに穴だらけに
ナンバー**11**さらにねじれろ

第五の扉が開かれた

甲冑を着た男がひとり
ひどく怒っている
するとその胸に小さな紙片があらわれ
うねりながら次第に大きくなり
波打ちよじれ
やがて頭部までを覆い
男は胸から上が皺苦茶な紙片そのものとなる
そこになにか書かれているか
判読できるのは
きれぎれに
「大地」とか「青い」とか「オレンジ」とか
「熱を帯び」とか「皮下」とか「灰」とか
「おまえたちの生」とか「立ち去るにも値しない」とか

第六の扉がひらかれた

大きな三角形の木枠があり
そのそれぞれの辺に文字が刻まれている
順に読むと

《静かにしてくれないか　雨よ　ミサイルよ　ひとひとりが終わろうとしているのだ》
《静かにしてくれないか　雨よ　ミサイルよ　ひとひとりが終わろうとしているのだ》
《静かにしてくれないか　雨よ　ミサイルよ　ひとひとりが終わろうとしているのだ》

そして第七の扉がひらかれた

黒い静かな騒擾
かつてここには彼あるいは
私の顔きみの乳房らがはなやいでいた
のにちがいなく
それらの輪郭が流れ出し絡み合い
あるいは打ち消しあって
黒い千もの線の流れとなった
のにちがいなく
この静かな騒擾
もう過去になんか戻らず未来にも赴かず
ただこの千もの線の
流れのいまの
ところどころ渦を巻く

第三信　杉中→野村

野村さん。黙示録実践「World's end café」、楽しく拝読しました。「パラタクシス詩学」で、野村さんは、私の提示する詩の用語に、詩を付けていくという、非常に困難な、面倒な作業を続けてきたわけですが、ここにきて、と言いますか、この「World's end café」は、野村さんが漸く、この作業に慣れてこられたというか、凄く良い感じに言葉がドライヴしていますね。詩が、詩の言葉として沸き立つような、溢れ出るような、そんなドライヴ感があります。「World's end café」を読んで思ったのですが、野村さんは、一冊の黙示録を、『風の配分』みたいなヴォリュームで、書いてみられるのも面白いんじゃないかと思います。確かに、黙示録と言っても、絶望や復讐を書くだけではなく、様々な現在を、そこに鏤めるように、書く、ということは可能でしょう。野村さんには「詩の死後」という意識は薄いかもしれませんが、私は、やはり、戦後詩の終焉、あるいは、詩の終わり、というものを強烈に意識した時期がありました。その後、『詩の練習』を始めて、様々な詩人たちと知り合ううちに、詩はまだ生きている、ということを実感として素朴に感じるようになりました（野村さんの詩は生命感に満ち溢れています。あるいは望月遊馬さんの詩の生命感の瑞々しさ）。今が、戦後詩の死後であるとするなら、実は、黙示録以降に、神の国が実現されているんじゃないか。再び、詩の王国が、神の国として齎されているんじゃないか、ということです。それでも、今の生命感、瑞々しさというのは、五〇年代の詩人達の瑞々しさ、生命感とは、異質なものです。やはり死後の、ゾンビのような、生命感、瑞々しさ、と言えばいいでしょうか（ゾンビ、と言えば、広瀬大志さんを思い出します）。小泉義之さんの「黙示録的出来事によって一度は旧来の生命を絶たれた後に、それでも何とか生き延びて新たな生命を求めているものの、それを得てはいないがために、生きているとも死んでいるともつかぬゾンビの位置に立って」というのは、私は、煉獄というものをイメージしました。煉獄とは、地獄から天国へのフライトの途中に、私たちがトランジットする空間のことです。煉獄では、地獄のように穢れてもおらず、天国のように清らかでもない。煉獄というトランジットで、私たちは浄化される過程にあるのです。煉獄で、私たちは清められた存在になるために、清められつつあるのです。それは、穢れているのでもなく清らかでもない、生きているのでも死んでいるのでもないゾンビに似ています。「ゾンビ的なポスト黙示録」とは、トランジットです。そのようなトランジットを経由することで、私たちは、神の国へと至ることができるのです。が、むしろ、小泉さんは、「ゾンビ的なポスト黙示録」というトランジットに留まることこそ重要だと考えているのかもしれません。黙示録による破滅でもなく、神の国の実現による救済でもなく、その中間にトランジットする、そのことが重要であると。私は、ドゥルーズの死のことを漠然と考えていました。晩年のドゥルーズは黙示録的というよりは、ヨブ的な困難に直面していました。晩年のドゥルーズは、小泉さんの言う「静謐さ」、とは、かけ離れたような、苦痛や困難、ヨブ的な災難に見舞われていたでしょう。ドゥルーズは自殺を選んだわけですが、それはどのような解決であったのか。野村さんの仰る、石原吉郎的な「プレ黙示録」というのも、

「待機のような、あるいは猶予のような」トランジットの時空間と言ってもいいでしょう。私たちは、常に途上であり、通過であり、経過である。そのような場所と時間を、心地よいと思う。私たちの生そのものが、このようなトランジットであるのかもしれません。

「World's end café」には七つの扉が開かれています。その扉の向こうにあるのは、抜け殻のようなイメージです。「鏡像めいた私たちの皮膚」「どれが本体であり残像であるのか」、それは、皮膚という抜け殻であり、残像という抜け殻である。あるいは、「声」という、身体を脱したもの。あるいは、「古着」「誰から私は抜け出てきたのだろう」「包むべき肉がない」という、脱ぎ捨てられたものとしての古着。「塊をなした魂」という、身体から抜け出てきた魂。「甲冑」という空洞の抜け殻。「私の顔きみの乳房ら」の「輪郭が流れ出し絡み合い／あるいは打ち消しあって／黒い千もの線の流れとなった」顔や乳房は、輪郭となり、線となり、抜け殻のように漂い、「静かな騒擾」として「過去になんか戻らず未来にも赴かず」、「千もの線」が、抜け殻が、「流れのいまの／ところどころ渦を巻く」。この抜け殻のようなもの、抜け出す魂のようなもの、それらは、宙ぶらりんのように、どこへ行くでもなく、留まっている。「その待機のような、あるいは猶予のような」トランジット。それこそが、私たちの生、私たちの詩、ポスト黙示録、あるいは、プレ黙示録としての私たちの詩の在りようなのではないでしょうか。

第四信　野村→杉中

そうか、煉獄というトポスもありましたね。以前ぼくも「煉獄エチカ」という連作を書いたことがありますが（『幸福な物質』所収、二〇〇二）、こんな詩行です——

他の茎のなかでめざめた
ちたちたちた
石よりも硬い漿液に貫かれて
純粋な痛みが駈けのぼってくる
口唇からこぼれ落ちる舌の錆
私とは誰でありえたか
私とはまた雲のちぎれ雲のほそまい
北東には岬が立ちヘリウムと呼ばれる
ほろほろな空隙を踏みそこね踏み外し
リズムすべてはリズム
老いたところで何になろう
時の風紋のいただきに立ち

霧を集めては飲む虫の忍耐のよう
無限の右の繊維が裂けて
白磁のような外がのぞいた
西へすすむにつれ私はちぢむ
振り仰げばまだら母の深み
るりるりるり
全身にその刺青をほどこしてもらう

そう、「ルサンブランス」の章で引用した「(あるいは他の茎)」のもとになった詩です。しかしこのどこが煉獄なのでしょう。「まだら母の深み」の「刺青をほどこしてもらう」なんて、むしろ生誕以前の母胎回帰という感じですが。いずれにしても、杉中さんいわく、「煉獄とは、地獄から天国へのフライトの途中に、私たちがトランジットする空間のことです。」こうして煉獄からつぎの「トランジット」へと、「パラタクシス詩学」は書き継がれていくわけですね。

あと、「World's end café」をほめていただき、ありがとうございます。気づきませんでした、七つの扉の向こうに展開されるのが、すべて「抜け殻のようなイメージ」であったとは。偶然そうなったのですが、そういう作者の無意識が、批評によって即座に掬い上げられ、作品行為的な必然となる――これもこの「パラタクシス詩学」の特徴のひとつでしょう。

10 トランジット

第一信　杉中↓野村

トランジット

長距離の航空機が、途中で燃料などを給油するために、目的地とは違う空港に立ち寄ること。燃料が足りなくなっても給油しないで、飛行機を乗り換えることもあり、この乗り換えのことをトランスファーと言うようですが、乗り換えも含めて、途中の空港に滞在することをトランジットとも言うようです。詩におけるトランジットとはどのようなものでしょうか。一つのテクストを出発する空港とし、別のテクストを目的地の空港とするなら、その途中で、様々に経由する空港、あるいは、その滞在する空港で給油されたテクストを推進力として、再び、三度、旅立つ、その経由、あるいはトランジットです。

野村さん、トランジットの詩をお願いします。

第一信補遺

一つのテクストから別のテクストに移行する場合、私たちはその移行がスムーズになるために、様々なテクストにトランジットします。それは、テクストのエンジンの起爆力、爆発力、推進力ともなります。トランジットはそれと明示される場合だけでなく、テクスト内に、ひっそり、判らないようにトランジットすることもあります。私たちは既に、幾度か詩をトランジットしています。たとえば、「8　聖なるもの」は第一信の私の〈「聖なるもの」の定義のようなもの〉を出発する空港とし、野村さんの〈聖なるもの実践〉である「幻獣ルーアッハ」を目的地の空港とするテクストの運動ですが、野村さんは、第二信で『薄明のサウダージ』の「ミミズ」にトランジットしました。そして、〈聖なるもの実践〉の「幻獣ルーアッハ」に到着します。前後しますが、第三信で私は野村さんの『薄明のサウダージ』の「第四番（復活）」にトランジットしました。この一連の飛行で、出発する空港は私の〈「聖なるもの」の定義のようなもの〉です。目的地の空港は「幻獣ルーアッハ」です。様々な空港にトランジットしながら、私たちのフライトは進むのです。別の角度から言うなら、〈「聖なるもの」の定義のようなもの〉から「幻獣ルーアッハ」へと至るフライトで、私の「第一信補遺」全体がひとつのトランジットです。「第一信補遺」で、ワンクッションおいて、さらには推進力として給油し、次のフライトに臨みます。そして、野村さんの「第二信」の前半部分〈聖なるもの実践〉より前の部分）もひとつのトランジットです。ここでも「聖なるもの実践」への移行をよりスムーズにするために、また、ひとつの推進力として、野村さんはトランジットしているのです。トランジットは、仮死状態でもあります。飛行してきた旅客機の燃料がエンプティに近くなり、トランジットします。この時、もう飛行機の燃料はなく、飛べない状態すなわち、仮死状態にあるといえます。この仮死状態の飛行機に燃料が補給され、再び飛行機は飛べる状態になります。仮死状態からの蘇生あるいは復活です。このように、トランジットは、〈生‐仮死状態‐蘇生〉という過程をも現しています。野村さんの『デジャヴュ街道』に「拓かれた空間のために」という詩があります。これは、出発を引き伸ばしているような詩ですが、むしろ、〈トランジット〉の空間において〈再‐出発〉を待っている詩とも読めるのではないでしょうか。引用します。「出発まで／あとわずかなとき、／／だが、なにをしたらいいのかわからない、／／生とは、／猶予がガーベラのように／咲き誇ること、／ではなかったか、／／隣室では、／私のなにかしらの完了を／待つ者たちがざわめき始めている、」（『デジャヴュ街道』）。トランジットで給油を待ち、〈再‐出発〉まであとわずかだが、何をしたらいいのか判らない。猶予とは、〈再‐出発〉の猶予でしょう。生きること、つまり、飛ぶこと、フライトが猶予されている。トランジットは、飛ぶことができないこと、燃料切れを補うことでもあります。それは、死、でもある。隣室で〈私〉の完了を待つ、とは、私の完了すなわち〈死〉ではないか。だが、〈私〉は、完了を潜り抜けて、出発（〈再‐出発〉）することになるだろう。トランジットとは、〈仮死と蘇生〉あるいは〈死と再生〉の場なのです。

第二信　野村→杉中

ぼくはもともと空港という場所が好きで、それはなぜなのだろうと考えるのですが、やはり、このトランジットの感覚と深く結びついているような気がします。むかし、まだヨーロッパ直行便がなかった頃、往路にしろ帰路にしろ、いったんアラスカのアンカレッジで降ろされて、空港内で給油の時間をやりすごすわけです。いまでもよく覚えているのですが、その、ただ待つだけの、宙ぶらりんの、まるで出発と帰還の秤があやういバランスで静止しているような、奇妙な時間のなかで、空港の大窓を通して、極地に近い万年雪を抱いた山や、昼なのに稜線すれすれの位置にある赤みがかった太陽のハローを眺めていました。

さて、このトランジットという概念は、前回の「9　黙示録」のところで、「煉獄」なるものから杉中さんによって引き出されたわけですが、今度はそれが「仮死状態」に結びつけられ、死と再生のサイクルのなかに置かれる。それからまた、この「パラタクシス詩学」の流れのなかでは、「中間休止」とも深い関係にありそうですね。そんなわけで、トランジット、実に意味深い概念というべきで、まさにハブ空港のハブみたいですが、ここではとくに、杉中さんが提示された死と再生というテーマを掬いとって、トランジット実践してみようと思います。

昨年（二〇一九）十月に韓国の慶州を訪れました。日本でいうと奈良みたいなところで、小高く盛り上がった古代墳墓群が印象的でした。古代新羅の王たちがそこに眠っているとのことですが、もちろんそれはエジプトのピラミッドと同じで、王たちは再生を願ってとりあえず大地＝母のもとに還っていくわけです。そうした神話学的考古学的見地と、杉中さんの「一つのテクストから別のテクストに移行する場合、私たちはその移行がスムーズになるために、様々なテクストにトランジットします。それは、テクストのエンジンの起爆力、爆発力、推進力ともなります」という魅惑的な詩学的フェーズを合わせて、つぎのような実践を試みました。

トランジット実践

（王たち、墳墓たち……）

王たち、墳墓たち、
半島の、まるい、小高い、
墳墓たち、王たち、

いにしえの王たち、
まず自分の柩をしつらえ、そのうえに、
まるくたおやかに土を盛り、
迫る死にそなえた、半島の、いにしえの、まるい、
小高い、墳墓たち、王たち、

――トランジット、あるいは現われた調和より、現われていない調和の方がすぐれている、

日は暮れかかって、私たちは、そこに案内された、
正面に、おお、みえてきた小さな丘、
いにしえの王のひとりの、
墳墓なのだろう、ゆっくりと、
私たちはそのまわりをまわる、

――トランジット、あるいは霊は、いつも見慣れない風のような姿でのみあらわれてくる、

まるいですね、たおやかですね、
するとその向こうにも、
もうひとつ、墳墓があらわれ、
ふたつながら、まるで乳房、大地の乳房のよう、
そうか、王たちは、
その母たちのもとに還ってゆくのか、

――トランジット、あるいは生誕という災厄、ゆえに私がこしらえようとしなかった子供たち、も

し彼らが、私のおかげで、どんな幸福を手に入れたか、知ってくれたなら！

と思う間もなく、つぎの、
まるくたおやかに土、
土を盛り上げた小さな丘があらわれるので、
そのあいだを、ただ縫って、歩いて、
私たち、いにしえの王たちの、
その遅延している遺体を追うように、
あるいは、その遺体の遅延に追いつくように、

——トランジット、あるいは魂にとって水になることは死であり、水にとって土になることは死で
ある、だが土から水が生じ、水から魂が生じる、

ように、まるくたおやかな小丘のあいだを、
月光に浮かび上がる、乳房たち、大地の乳房たち、
縫って、歩いて、私たち、いったい幾つ、
あるのだ、半島の、
まるい、小高い、墳墓たち、
松も何本か、それらに寄り添い、

――トランジット、あるいは鳥と木とが、私たちのうちに結ばれている、前者は行き交い、後者は
つぶやきながら伸びあがる、

墳墓たち、ひとつまたひとつと増え、
日もとっぷりと暮れて、しだいに私たちは、
迷路を行くようではないか、その出口を探すようではないか、
でなければ墳墓を、入るべき墳墓を、
私たちがその遅延する遺体、
でもあるかのように、
待たれて、縫って、
まるいですね、たおやかですね、縫って、
待たれて、ほら、向こうを、
べつの私たち、
とみる間にも、

――トランジット、あるいは鳥籠が、鳥を探しに出かけていった、

墳墓たち、半島の、

まるい、小高い、墳墓たち、
私たちを探しに、鳥籠のように?

＊

「トランジット、あるいは……」の部分には、古今のアフォリズムを渉猟してそのいくつかを引用しました。出典をあきらかにしておきましょう。順に、「現われた調和より、現われていない調和の方がすぐれている」(ヘラクレイトス)、「霊は、いつも見慣れない風のような姿でのみあらわれてくる」(ノヴァーリス)、「私がこしらえようとしなかった子供たち、もし彼らが、私のおかげで、どんな幸福を手に入れたか、知ってくれたなら!」(シオラン)、「魂にとって水になることは死であり、水にとって土になることは死である、だが土から水が生じ、水から魂が生じる」(ヘラクレイトス)、「鳥と木とが、私たちのうちに結ばれている、前者は行き交い、後者はつぶやきながら伸びあがる」(ルネ・シャール)、「鳥籠が、鳥を探しに出かけていった」(カフカ)。トランジットとしてのそれぞれのアフォリズムが、連から連へ、その推進力になっているかどうか……

第三信

野村さん、トランジット実践「(王たち、墳墓たち……)」、楽しく拝読しました。一読して、「トランジット、あるいは」の部分が、不思議な感じがしましたが、解説を読んで納得しました。過去の、様々なアフォリズムを引用することで、その引用をトランジットし、テクストを推進しているわけですね。「トランジット、あるいは……」の部分は、呼吸を整えるような、小さなジャンプを踏み切るような、弱い力が働いています。それは、爆発的な、というよりは、給油したり、食料を補充したり、というような、フライトの続行のための、弱い力でしょう。「トランジット、あるいは……」の部分が、強く主張するというよりは、「(王たち、墳墓たち……)」という詩の推進力、起爆力となっています。面白いですね。けれども、私が、この詩から受け取ったトランジットは、むしろ主題的なもの、というべきか、墳墓、墓そのものがトランジットであるということです。私たちの生と、私たちの死後とを、繋ぐ、トランジットとしての墳墓、墓。墓とは、私たちが生から死後へとフライトするときに通過するトランジットなのではないか。それは、死が、死そのものが、生から死後へと至る私たちの旅の通過点、トランジットであると言い換えることができるかもしれません。死や、墓は、トランジットである。私たちが生から、死後へと旅するためのトランジットである。死が無であるとするなら、死は中間休止です。それに対して墓は、ある場所、空間なので、トランジットと言えます。中間休止は無であり、無が表象となるものですから、死は、むしろ中間休止に近い。ですが、墓は、生から死後へと旅するときに、通過する場所、空間ですから、トランジットと言える。私は、「(王たち、墳墓たち……)」を読んで、吉増剛造さんの「オシリス、石ノ神」を思い出しました。「オシリス、石ノ神」では、老夫婦は墓を失っています。老夫婦はトランジットできないのです。つまり、ガソリンの切れた飛行機で、食料も不足したまま、トランジットせず、生から死後へと直行するのです。「オシリス、石ノ神」の老夫婦の悲劇は、トランジットできないことです。一方、「(王たち、墳墓たち……)」の王たちは、トランジットする墳墓をいくつも持っています。王たちがトランジットする墳墓は、母のような、柔らかい、丸い、場所です。それは、幸福感すら抱くような、場所です。引用します。「まるいですね、たおやかですね、／するとその向こうにも、／もうひとつ、墳墓があらわれ、／ふたつながら、まるで乳房、大地の乳房のよう、／そうか、王たちは、／その母たちのもとに還ってゆくのか、」。墳墓は、鳥籠であるとも言われます。鳥籠はカラで、鳥を探しに出かけていきます。鳥籠は、墳墓は、私たちを探しているようでもあります。トランジットは、私たちがトランジットしに行くのではなく、トランジットそのものが私たちをトランジットさせてくれるものなのでしょう。

第四信　野村→杉中

なるほど、「墳墓、墓そのものがトランジットである」わけですね。そこから、吉増剛造さんの「オシリス、石ノ神」の、墓を失ってトランジットできないでいる老夫婦にまで話を繋げていただきました。面白いですね。

11　メタファー

第一信　杉中↓野村

メタファー

メタファーは、ある言葉で、別の言葉の意味を伝えるものである。この場合、詩人が、メタファーによって伝えたい別の言葉の意味が、そのまま、一義的に、詩の読者に伝わるものがメタファーであると言える。メタファーは比喩であるから、詩人が用いた比喩が、どういう意味を持つかが、比喩として詩の読者に伝わる必要がある。詩人の用いたメタファーによって、詩人が意味したものが、詩の読者にそのまま伝わらなければ、その比喩（メタファー）は失敗したことになる。メタファーも比喩であるから、意味が伝わらなければそれは比喩の態をなさないからである。だが、そもそも現代詩やとりわけ戦後詩を読んでいると、意味が不確定なメタファーや、多義的に意味が重層するメタファーのようなものに出くわす。そもそも、そのような意味が不確定であったり、多義的であったりするメタファーをメタファーと呼ぶことは可能なのか。もしそれがメタファーでないとしたら、それはいったい何なのか。

野村さん、メタファーの詩をお願いします。

第一信補遺

メタファーは、あるシニフィアンが同一のまま、別のシニフィエに連結されることである。ある言葉がメタファーとして使われる場合、言葉そのものの外形（シニフィアンは同一性を保たれたまま）、意味が変わる（シニフィエが変化する）。メタファーでは、ある語が別の意味に用いられる。メタファーによって、言語が変形されている。メタファーは、ひとつのシニフィアンがそのシニフィエを、変化させる。一方、換喩は、ひとつのシニフィエが同一のまま、そのシニフィアンを別のシニフィアンに変化させる。換喩では、ひとつの意味が、別の複数の言葉に代替される。メタファーでは意味が過剰なのであり、換喩では言葉が過剰なのである。私たちは、メタファーという飛行機に乗って移動（トランスファー）する。飛行機というメタファーによって、出発地（ある意味、あるシニフィエ）から、目的地（別の意味、別のシニフィエ）にフライトする。途中、トランジットすることによって、意味、シニフィエが変換させる。この変換が詩のメタファーのトランジットである。野村さんは、『危機を生きる言葉』で、広瀬大志さんを引用し「詩はメタファーだ」と書かれています。また、メタファーは「詩を詩たらしめるもの」とも書かれています。詩がメタファーである、とは、詩が意味を生産し、意味を増殖させるもの、ということでしょう。メタファーによって、ひとつのシニフィアンがふたつのシニフィエを反映する、ということは、シニフィエがメタファーによって生産され増殖されているということで、詩が、このようにシニフィエや意味を、過剰化、再生産、増産するということが、詩の本懐なのでしょう。が、換喩的であること、言葉が過剰であること、「シニフィアンの戯れ」といったものが、いささか、古びた響きを持つことも否めません。むしろ、言葉のエコノミーと、それによる意味の豊饒さというものに、再び回帰するのもいいかもしれません。メタファーと換喩以外の第三の道、はあるのでしょうか。あるとすれば、どのようなものでしょうか。ひとつは、言葉数を減らし、かつ、意味を細らせるという道。もうひとつは、言葉を過剰にし、かつ、意味を過剰にするという道。前者のイメージとしては、私はツェランの詩を、後者のイメージとしては、ジョイスの『フィネガンズ・ウェイク』（一九三九）のようなテクストを漠然とイメージしています。野村さんは『危機を生きる言葉』の別の箇所で、「石原の非-意味形成的なメタファー」とも書かれています。この点に関しては、私は異論があります（私たちのこの「パラタクシス詩学」も、いつも予定調和的に、話が纏まるばかりでは変化がありません。たまには意見の対立というか、テクスト内で論争のようなものをやってみるというのはどうでしょうか）。メタファーが比喩であり、比喩である限り、意味が伝達されるものであり、メタファーが比喩として認識され、意味が（メタファーとしての意味が）伝達されない場合、それは比喩と認められず、メタファーとはならないのではないでしょうか。例えば、「馬は南瓜である」と私が書いたとします。この場合、南瓜をメタファーと私が主張しても、南瓜にはメタファーとしての意味がないようにも見えます。この場合、南瓜はメタファーと言えるかどうか。もっとも、石原吉郎の高度なメタファーとしての「非－意味形成的なメタファー」と、私の思いつきのメタファーを同じ土俵で語ることは無理があるかもしれません。が、例えば、「馬は南瓜を引く」とすれば、「南瓜」は「馬車」のメタファーになるのではないか。だが、「馬は南瓜である」では、無意味で、メタファーにならないのではないか。野村さんは、こうも書いています。「隠喩は名づけえないものの転記であり、転記された文字性において還元不可能である」。隠喩は名づけえないものの転記である、というのは、そもそも名づけえないものがあり、それを転記するのが隠喩である、ということだと思います。これは、少し、メタファーという概念を拡張しすぎているように思います。むしろ、名づけえないもの、というなら、象徴というような言葉のほうが近いかと思います。象徴という手法においてすら、名づけることは可能なものを転記していますが、メタファーが扱うものより、象徴が扱うもののほうが、より名づけづらいでしょうし、漠然としているようにも思います。メタファーは、割と判りやすい単純な比喩なのであり、戦後詩や現代詩は、メタファーという概念を秘教化・神秘化し過ぎていたのではないでしょうか。

第二信　野村→杉中

非常に興味深い、そして問題提起的な第一信でした。いちばん刺激的だったのは、「メタファーと換喩以外の第三の道、はあるのでしょうか」という箇所でしょうか。「第三の道」を求めてわれわれは、この「パラタクシス詩学」でもいろいろと試行錯誤しているのではないかと思います。

そして論争しましょうと杉中さんから水を向けられたわけですが、果たして、いい論争ができるかどうか。でもやってみましょう。

ぼくはメタファーについては、詩論らしきものを書き始めてからつねに問題にしてきましたが、そのつどの見解のゆらぎがあり、いまもって定まりません。ただ、直近の討議イベント（『現代詩手帖』二〇二〇年二月号「世界を描くための喩」）では、一応「メタファー」の復権を標榜する立場で発言したので、そのラインで行きましょうか。

まず、言語の本質的な隠喩性と、レトリックとしてのメタファーとを区別する必要があるのではないか。杉中さんが念頭に置いているのは、レトリックとしてのメタファーでしょう。「馬は南瓜である」がメタファーでないのは、それが意味論的レベルにおいてナンセンスな言表であるとみなされるからですが、しかしすくなくとも形式的にはメタファーです。なぜなら、メタファーの基本は、be動詞のような繫辞（日本語なら「である」）を介して、AとBを結びつけることだからです。「彼はライオンである」同様に、「馬は南瓜である」とも言えるわけで、極論すれば、つまりそれがぼくの言う「非‐意味形成的なメタファー」です。隠喩の形式を逆手に取るわけですね。

たしかに、「非‐意味形成的なメタファー」という言い方には背理があります。撞着語法です。メタファーでないメタファーと言っているようなものですから。杉中さんの、「メタファーが比喩であり、比喩である限り、意味が伝達されるものであり、メタファーが比喩として認識され、意味が（メタファーとしての意味が）伝達されない場合、それは比喩と認められず、メタファーとはならないのではないでしょうか」という見解は、その通りだと思います。ですからぼくもほかの語、たとえばイメージという語で「非－意味形成的なメタファー」を言い換えようとしたこともありましたが、それはそれでいろいろと問題があり（イメージなるものは詩学の域を超え出てしまうでしょう）、苦肉の策として、メタファーなる概念を拡大解釈的に使用してしまったわけです。件の鼎談イベント（『現代詩手帖』二〇二〇年二月号）で、ぼくは阿部嘉昭さんの『換喩詩学』（二〇一四）を、換喩なる概念を拡張的に使用しているとして批判しているわけですが、そのぼくが、まさに杉中さんから、メタファーなる概念を拡張的に使用していると批判されてしまったわけですね。いやはや、因果はめぐるといいますか。

でも、そこに賭けようと思うのです。なぜメタファーを拡張的に捉えるかといえば、それがほかならぬ言語の本質的な隠喩性に基礎づけられているからです。言語の本質的な隠喩性とは、ひとことでいえば、言葉はべつの言葉との関係においてしか生きられないわけですが、その関係のたびにどうしても意味のゆらぎやずれを生じてしまうということです。シニフィアン／シニフィエはたしかに不可分ですが、言葉の関係においては最初から揺らいでいるということです。たとえば空を何か不思議な物体が飛んでいるのがみえたとき、ひとはとっさに「空飛ぶ円盤」と言ってしまう。このとき、「円盤」は「空飛ぶ」と関係することによってそれまでの「円盤」の意味からずれていきます。われわれの側からすれば、既存の、そして有限な言葉の組合せでもって、なんとか未知なるもの、無限なるものに向き合おうとしていると言ってもいいかもしれません。

そう、「隠喩は名づけえないものの転記であり、転記された文字性において還元不可能である」。「名づけえないもの」が空を飛ぶ不思議な物体、「転記」が「空飛ぶ円盤」というわけです。ぼくはこの自己流の隠喩の定義が気に入っていて、もう何度も自己引用してきましたが、そもそものオリジナルは、「淡島」という詩篇（詩集『草すなわちポエジー』所収、一九九六）における以下のくだりでした。

淡島とは、名づけえないものの転記のひとつにすぎないが、転記されたその事実性において還元不可能となる。淡島を見出せ、あなたの横、あなたの背後、あるいはあなたを無へと繋ぐあなた自身の視床の苔（ポエジー）のうえに。

「淡島」とは何かと訊かれても、「名づけえないものの転記」である以上、「淡島は淡島」と答えるしかありません。広い意味でのメタファーですが、「非‐意味形成的」です。同様に、「視床の苔」は「視床の苔」であり、でなければポエジーと言い換えるしかありません。この「淡島」がのちに、詩論の文脈で「隠喩」になり、「事実性」が「文字性」になったわけです。

そして、名づけ得ないものの転記が隠喩であるにしても、厳密にいえば、名づけ得ないものがさきにあるというのは錯覚でしょう。転記されてはじめて、名づけ得ないものがあるということが知られる。あるいは、名づけ得ないものは、転記されてはじめて名づけ得ないものとなる。始めに転記、つまり隠喩ありきなのではないでしょうか。そう、デリダの言う痕跡に近いですね。隠喩とは痕跡である、としておきましょう。

「詩はメタファーだ」という、一見乱暴な断言も、以上のような文脈で理解されなければならないと考えます。またメタファーには、詩の散文化が著しい今日、ある意味批判的な役割を演じさせる

こともできるのではないか。自作の「デジャヴュ街道」を引き合いに出すなら、

デジャヴュ、
さながらてのひらのうえを走るように、
紙葉一枚ほどのくすんだ空の奥の、その右上あたりから、
道がひとすじ、濃くうすくあらわれ、
ちらめく蛇体のようにうねりながら、
私たちの眼のはるか下へ、たとえば立ったまま眠る
祖の腰のあたりへと伸びて——

オルガスムス屋が行く、
神経の蟻が行く、

と、その道をよぎるべつの道たちが、
デジャヴュ、
長短さまざまにちぎれた糸屑のさまをなして浮かび上がり、
まれには、少女の脛のうえの
かすれた傷痕のような風情をみせながら、

どれも一様に陽に照らされて、
右へ左へと揺れひかるので——

神経の蟻が行く、
錆と苔が行く、

ご覧のように、テクストは行分け部分とリフレイン部分の交替から成り立っていますが、前者がかなり散文的であるのに対して、後者は「神経の蟻」をはじめメタファーを駆使しています。それはまるで詩の重力のようにはたらいて、前者の、かぎりなく散文化し拡散していくエクリチュールを、かろうじて詩に繋ぎ止めようとしているかのようです。つまり批判ですね。

すこし長くなってしまいました。いくらか論争になったでしょうか。では、メタファー実践ときましょう。メタファーだらけの詩を試みたあと、メタファーを使用しないで詩を書くことは可能か、という実験をやってみます。上述のように、言葉と言葉の関係がメタファーをつくり出してしまうのが言語の特性ですから、メタファーなしの詩を書くには、言葉と言葉の関係を切断し、言葉を孤立した単語そのものとして並べてゆくしかないんじゃないか。それが詩になっているかは、杉中さんの判断にまかせますけど。

メタファー実践

メタファーだらけの詩あるいは相聞

ほらきみの眼の
奥の空蝉の
カルデラ湖の剥落に
神々のふきだまり青々と
ましてたえざる距離の囀りのなか
ぼくときみとのあいだで
きりもなく声の砂は流れたのだったたか
いや何も過ぎ去らない
森はいま時間の鳥をとりこめているだろう
胸郭には思惟の猿が招き入れられ
力の具体はみちて
夢という過ぎた生の柩を吊り上げるので困るのだ
失語の粥をただ掻き込んで
無時間の隙間の耳でありたいと思うのに

涅槃の虫を飼うきみの残余は
どこに隠れている?
水の擬死をほどきながら
しんしんと深まる孤独の葉かげをぼくは
人肌の南へと昏れてゆくのが
ほんとうは正しい

メタファーのない詩あるいは部族

やあ　ああ　来ている
誰　いなご　バッタ　せみ
誰か　舟　カヌー　葦　兵士
か?　兄　隊長　少し　しばらく
しばしば　すぐに　ほんの少し
瞬間　酒をつくる　第一に
私は誰?　何をしている?　小海老
水がめ　水田　波　どれ　だれ　アダム
男　八月　ではない　誰かを喜ばせる

狩りに行く　水　転じて　リーダーの名
何処にもない　たぶん　のようだ
ではないかも　着く　つかまる
誰かを捕らえる　着いた　到着した
終わった　完了　完全に
何かを持ち上げる　起き上がる
誰かを突き刺す　何かを突き刺す
露　霧雨　とげだらけ　面倒になる
芳しい　美味しいもの　甘く
香気を出す　辺り一帯に
あちこちに　休まずに

第三信　杉中→野村

野村さん、「メタファー　第二信」および「メタファー実践」、楽しく拝読しました。メタファーに、ある種の期待というか、希望を見出されている野村さんのお気持ちが伝わってきました。確かに、野村さんが常々仰っている、詩の散文化（換喩化）に歯止めを掛けるには、ひとつの方策としてメタファーの復権ということがあります。野村さんが、「言語の本質的な隠喩性とは、ひとことでいえば、言葉は言葉との関係においてしか生きられないわけですが、その関係のたびにどうしても意味のゆらぎやずれを生じてしまうということです」と仰るのは、言葉の意味と言葉の意味が化学反応して、第三の意味、オルタナティヴな意味のずれやゆらぎが生じるということでしょう。これを、あるメタファーが、一つの確定した意味を形成するという意味での「意味形成性」とは、異なるものとして、確定された意味ではない、意味のずれやゆらぎが生じるという意味で「メタファーの意味生成性」と名づけてはどうでしょう。ただ、重要なのは、このメタファーの意味生成性そのものなのであり、新たな意味がメタファーによって齎されてしまったら、それは慣用句となってしまい、月並みとなってしまいます（ここでも「メタファーの意味形成性」はネガティヴに捉えられます）。この不断に、意味を生成し、生み出し続けるという作用そのものがメタファーの鍵なのではないか。意味を生成する、だが生み出されたしまった意味は、固定されて慣用句となってしまう。だから、私たちは、永遠に詩を書き続けなくてはならない。

私たちの意見の相違点。「非‐意味形成的なメタファー」ですが、鼎談「世界を描くための喩」で、「謎」という用語が、皆さん共通で用いられていました。ここにヒントがあるんじゃないかと思います。意味の確定しないメタファー、意味の判らないメタファーは、むしろ「メタファー」ではなく、「謎（エニグマ、暗号）」と呼んでみてはどうでしょう。今すぐ使うには「謎（エニグマ、暗号）」という用語は、こなれていませんが、「この比喩は謎（エニグマ、暗号）」という言い方も可能なんじゃないでしょうか。

メタファー実践、面白いですね。

「メタファーだらけの詩あるいは相聞」「メタファーのない詩あるいは部族」どちらも、死のようなもの、あるいは無常感のようなものを表わしているように思います。

「メタファーだらけの詩あるいは相聞」は、草叢のようなところに野ざらしになった骨に語りかけるような感じでしょうか。白骨化した遺体が、相聞の相手である、君とは恋人なのでしょうか。メタファーの意味を正確には辿れませんが、「ほらきみの眼の／奥の空蝉の／カルデラ湖の剥落に／神々のふきだまり青々と／ましてたえざる距離の囀りのなか」というのは、草叢に野ざらしになった頭蓋骨のメタファーではないかと思います。そして、死んだ人、白骨化した人に語りかけるスタイルは、能のような感じでしょうか。

「メタファーのない詩あるいは部族」は、どこか、未開の部族が狩りか戦争に行って命を落とすようなイメージでしょうか。こちらも「メタファーのない詩」と言いながら、実は、阿部嘉昭さんが言っていた吉本隆明の「全体的な喩」みたいな感じになっているかもしれません。最後に出てくる「露　霧雨」にしても、「露　霧雨」そのものでありながら、「露　霧雨」が何かのメタファーに成っているようにも思います（例えば、死者を救う神の恩寵の雨とか、仏の慈悲の雨、みたいな。思いつきですが）。私たちの言葉（詩の言葉）には、強くメタファーが染みついています。メタファーを書かないようにしながらも、メタファーを書いてしまう。メタファーを書いていないのに、読む側が勝手にメタファーを読んでしまう。本当にメタファーを書かないためには、事実確認的な言葉を連ねていくしかないのではないか。例えば「私は人間である／私は男である／私は生きている／私は詩人である」みたいな。けれども、これさえ、メタファーになってしまっている可能性はあります。

例えば谷川俊太郎さんの「鳥羽Ｉ」（『谷川俊太郎詩集』所収、一九六八）の書き出し。

何ひとつ書くことはない
私の肉体は陽にさらされている
私の妻は美しい
私の子供たちは健康だ

野村さんと論争のようなことをしてはどうかと提案しましたが、お互い、考えていることはあまり違いはないようですし、論争のような形にはなりませんでしたね。もっと考えが鋭く対立するなら、面白い論争のようなものができたかもしれません。メタファーということで言えば、論争的な対立というのは、メタファー的ではないでしょうか。私たちのような微細な差異、微細な対立というのは換喩的ではないか。

もうひとつ。野村さんは、「名づけ得ないものがさきにあるというのは錯覚でしょう。転記されてはじめて、名づけ得ないものがあるということが知られる。あるいは、名づけ得ないものは、転記されてはじめて名づけ得ないものとなる。始めに転記、つまり隠喩ありきなのではないでしょうか」と仰っています。面白いですね。けれども、メタファーというのは、何かを何かに譬えて書くわけで、譬えられる何かが、譬える何かの後に、事後的に成立するというのは、やはりメタファーとは言えないじゃないか。ここでも、「言語の本質的な隠喩性と、レトリックとしてのメタファー」との混同を私が犯しているんじゃないかと指摘されそうですが、それでも、やはり、事後的にメタファーの内容（名づけ得ないもの）が成立するというのは、かなり厳しいんじゃないか。むしろ、それは、メタファーを書くというより、読む側の解釈ではないかと。書く者が、そのメタファーを事後的に解釈している、といってもいいかもしれません。それはメタファーを書くというより、メタファーを読む行為ではないか。それは、詩を書くという、メタファーを書く行為とは、すこしずれるんじゃないでしょうか。

第四信　野村↓杉中

疑似論争、いや、論争にならない論争から、しかしいろいろと面白い意見を出していただきました。それだけでも収穫というべきでしょう。意味形成性ではなく意味生成性としてのメタファーという方向もスリリングだし、メタファーと呼ばずに謎と呼ぼうという提案も、用語的に無理はありますけど（笑）、なるほどと思いました。謎は謎解きのためにあります。つまりメタファーは読む側のものであるわけで、解釈学を誘引するということになります。

ここで、最近ふと目にした千葉雅也の発言を引いておきましょう（『現代思想・二〇一九年五月臨時増刊号』）。なお、対談相手の松本さんは松本卓也、最近『創造と狂気の歴史』という非常に興味深い労作を著した気鋭の学者です。千葉さんは現代詩に関心を寄せ、ぼくの詩なども読んでくれているのですが、そんな千葉さんが、メタファーつまり解釈学に言及したついでに、つぎのように発言しているんですね。

千葉　先日、小泉義之さんと仲山ひふみさんと三人で対談をした際には「単にリテラルではないけれどメタファーを頼りにするのでもないような「厚み」のある言語」という言い方をしたのですが……。

松本　たとえば現代詩などがそれにあたりますか。

千葉　そうですね。現代詩のメタファーというのはそれが一体何のメタファーなのかを規定できない。ほとんどそれ固有に自閉的に循環しているようなメタファーですよね。いわば「自閉的なメタファー」というか。

なんとなく勇気づけられる発言だとは思いませんか。自閉を解かない謎を提示するのが詩人の役割、ということになるでしょうか。

12 動物性

第一信　杉中↓野村

動物性

動物は、人間と同じように物を見ていない。人間のように考えてもいない。動物が人間のように物を見たり考えたりするというのは、ファンタジーの世界、フィクションである。動物たちが二本足で歩き、人間の言葉を喋る（『長靴をはいた猫』）というのは御伽噺の世界である。動物は例えば、食べられる物と食べられない物が、塗り分けられた地図のように物や世界を見ている。あるいは、危険性のない音と危険な音とが、聞き分けられるように、世界や物音を聞いている。それらは意味ではない。一つの徴候のようなもの、シグナルのようなものである。この茸には毒があるから食べられない、というのは人間的である。動物性とは、そのような意味性の剥奪であり、単に、食べられる／食べられない、の塗り分けである。動物性とは、意味や価値ではなく、たんにプラスかマイナスか、その違いである。

野村さん、動物性の詩をお願いします。

第一信補遺

動物は言語を持たない。動物に言語があるとして、動物は文法を持たない。動物の言語は、単語の羅列であり、文法的な、文章というものを作ることができない。動物の言語は意味を持たない。鳥の囀りが意味を持つように見えるが、それは意味ではない。動物の言語が分節化されているとして、それは非常に緩い分節化である。鳥の囀りは、意味を持つというより、その囀りそのものが、ひとつに意味を持つ行動である。それゆえ、鳥は囀りで言語を話しているのではなく、囀りとそれにともなう行動をしているだけである。鳥の囀りには、人間的な意味での文法がない。鶯の囀りと、鵲の囀りが分節されているわけではない。鶯は自らの囀りと、鵲の囀りを、人間的な意味で分節化しているわけではない。人間が、自らの言語を、チンパンジーの鳴き声と分節化していないのと同じである。動物は言語を話しているわけではない。動物が言語を話しているとして、その言語には、文法がない。動物の言語は、語の羅列である。それゆえ、動物性、詩の動物性とは、語が、無作為に、あるいは、何らかの欲望のようなものに従って、羅列される状態である。語が、無作為に、あるいは、何らかの欲望のようなものに従って、羅列される状態である。

野村さん、動物が言語を持たないとするなら、私たちはどのように動物の詩を、詩の動物性を獲得できるでしょうか。ひとつのヒントとして、メシアンの『鳥のカタログ』(一九五六―五八)があります。メシアンは、学生たちを引き連れて山に入り、鳥の鳴き声の音程を、絶対音感で聞き取って、譜面に起こしていきます。鳥の鳴き声も、ある音程とあるリズムを持ったフレーズで、その鳴き声の高低を、平均律のドレミに書き換えることは可能です。こうしてメシアンは大量の鳥の鳴き声を楽譜化し、それを基にしてピアノ曲を作曲します。それが『鳥のカタログ』です。野村さん、鳥の鳴き声、鳥の囀り、鳥の言語を、詩にすることのヒントがここにあるのではないでしょうか。鳥の鳴き声のみを例えば列挙してみる。「ほーほけきょ、こけこっこー、ぴーひょろろ、かーかー、かっこう」などなど。大岡信さんの「ほっちょかけたか」、入沢康夫さんの「けけろけけー」。これは例えば、ダダイズムのフーゴー・バルの音響詩「ガジ・べリ・ビンバ」みたいなものに通じるものがあるかもしれません。あるいは、ちょっとニュアンスが違いますが、入沢さんの「わが出雲」に出てくる「ふみわけた草木の名前/かきわけた草木の名前」を羅列する部分、とりわけ末尾の意味不明な言葉の羅列「らふえる/まい/あめく/ざあび/あるみ/とろめ//かいな/あてのうら」のあたり。私たちのパラタクシス詩学が目指す、無意味なもの、意味の破壊、文法の破壊、シンタックスの破壊、といったものが、詩の動物性によっても可能となるのではないでしょうか。

第二信　野村↓杉中

第一信、興味深く拝見。でも、今回ばかりは、杉中さんのリクエストに応えるのはむずかしそうです。仮に応えるべく試みたとしても、なんか下手なオノマトペの羅列になってしまいそうで。

詩の動物性というコンセプト自体は、例によってすこぶる面白い問題設定ではあります。しかも、言語という事象に沿ってそれを考えていくというのは、人間と動物を隔てる最大の要素はおそらく言語でしょうから、至極妥当な視点といえるしょう。同時にしかし、アポリアもあるような気がします。言語をどこまで破壊していっても、それはやはり言語でしかなく、また動物の声をオノマトペとしてどこまで模倣していっても、それもまたやはり言語でしかないのではないか。つまり言語というフェーズで追っていくかぎり、厳密に詩の動物性が実現できるとは思えないのです。

動物性というテーマは、それこそやはりテーマ的に扱うしかないような気がしています。杉中さんは入沢康夫の「ふみわけた草木の名前／かきわけた草木の名前」の非言語的言語を詩の動物性として引き合いに出していますが、同じ入沢作品なら、ぼくはむしろ、あの奇怪にしてグロテスクな『牛の首のある三十の情景』（一九七九）を思い出す、というふうに。

人間と動物の関係。そして動物の人間化、人間の動物化。ヒントとしてまっさきに思い浮かぶのは、ドゥルーズ／ガタリの『ミル・プラトー』に書かれた「動物への生成変化」です。詳しい紹介は省きますが、というか、紹介できるまでの力量はぼくにありませんが、擬人化とは真逆の方向への、まさに強度としての動物化ということで、圧倒的でした。彼らは書いています──「動物への生成変化は夢でもなければ、幻想でもない。生成変化は完全な現実なのだ。しかし、それはどのような現実なのか？　というのも、動物への生成変化は動物を真似たり、動物を模倣することではないにしても、だからといって人間が『現実に』動物になるのでも、動物が『現実に』別のものになるのでもないことは明らかだからである。生成変化から生まれてくるのは生成変化だけだ。」つぎに、アガンベンの『開かれ──人間と動物』。これも詳しい紹介は省きますが、人間と動物の関係を、とりわけ人間と動物が交錯する未決定な例外状態を、ゆらぐ閾という概念装置で捉えたところがスリリングでした。

そうしたヒントをどこまで生かすことができたか、はなはだ心許ないのですが、以下にふたつ、実践例を示します。最初の例は、そうか自分も、メシアンの『鳥のカタログ』に──ただし音ではなくイメージの次元で──呼応するような作品を書いたことがあったぞ、と思い出して、それは『ニューインスピレーション』（二〇〇二）に所収の「ニューインスピレーション 2000」という長詩なのですが、今回そのテクストを「鳥のカタログ」と改題して、短縮バージョンへの書き換えを試みたというわけです。「シティ」でもあり、「人の葉」でもある「きみ」と閾的かつエロティックに関わる鳥たち、という感じでしょうか。

二番目の例は、いろんな意味での人間の動物化を、「処女膜」というエロティックな閾と絡めて書いてみたらこんなふうになりました、というような作品です。この場合も旧作がベースになっていて、詩集『草すなわちポエジー』（一九九六）に所収の「照葉」という詩篇の十二番目の断章、昔の──日活ロマンポルノ華やかなりし頃の──ポルノ映画館とポルノ映画の題名の列挙に、「ありふれた統辞はなく」とかのメタ詩学を絡めた断章がそれに当たります。そのいわば原テクストに無理やり動物性というテーマをくっつけたような感じですが、さらには、デリダのマラルメ論のキーワードとしてたしか「処女膜」が使われていたのを思い出して、pli selon pli（「ひだにそってひだを」）とか、マラルメにまで接木の幅を広げてしまいました。けだし、マラルメはメタ詩学の王です。

動物性実践（1）

鳥のカタログ

――きみ、星の洲のシティ、
その低地のいたるところに、
ジャワハッカ、
きみのからだの痣を、ひとつひとつあさるような、
シロハラハッカ、

――人の葉においては、そこに何があるかより、何が生起しつつあるか、

丈高いシティの背を、
きみの柔毛の焦げたような拡張区域の方へ、
コウライバト、
コアオバト、

――飛翔、人の葉の危うい存立面に沿って、

オニカッコウ、
きみのひりひりと恋する肺のとなりの葉かげ以外には、
絶対に止まらない、
のだった、

――換喩的変換、あるいは人の葉の裏や外、

きみのかいなの輝きともみまがう、成熟した樹の枝から枝へ、
ヒメコノハドリ、
ルリハチクイ、

――そう、たぶん、主体攪乱物質、

きみの乳暈を切り開くようにつづく甘い果樹環境では、
メグロヒヨドリ、
ムネアカゴシキドリ、

――きみ、シティ、人の葉の肉と骨、と指さすように、

たとえば泥の付着したきみのうなじのあたりだろうか、
アオガシラタイヨウチョウ、
ミドリカラスモドキ、
花蜜だけで生きよ、
と誰かしらに命じられて、

――どんな切断なら、人の葉の遍在性を遮れるかしら？

雨林区域に入っても、
鳥たちがすぐに見えるとはかぎらない、
耳をすまし、
葉かげの動きに注意しながら、

アオバネコノハドリ、
オオコノハズク、

——人の葉を、伝達の無が、鳥の胸の充溢となま青くクロスしながら、

そして最後に、
きみのからだの中心の、
わけもなく縄目の浮くような集水区域では、
キムネコウヨウジャク、
シロガシラトビ、

動物性実践（2）

アニマル

学生の頃、
熱にうかされたように映画をみた、
大半はピンク映画、

ポルノ映画で、
そうした映画を専門に上映している映画館から映画館へ、
多くは場末だったが、
熱にうかされたように足を運び、
というか狂奔し、
夢かうつつか、それはまた詩作の時間でもあって、
よぎる塚の影のように、
もう存在しないが、自由が丘劇場では、
処女残酷うぶ毛、OL縄地獄、
つまり緊縛されているのだ、
でも夢の基底に叫びはなく、
ありふれた統辞もなく、マラルメみたい、
もう存在しないが、新丸子モンブランでは、
悦楽の肌、変態情事アニマル、
そう、マニュアルではなくアニマル、

アニマルはすてきだ、ヒメの **hymen** について、
それが狂おしいと、それがあわあわしいと、書くことができるから、
蒼い蝶の凍てつき、

ミルクのふるふる、
あるいは燠のようなヒメの **hymen** について、
ヒメの **hymen** のような燠について、
だれもがそれに属しているのに、それそのものにふれることはできない、
そこから秘匿という名の熱が立ちのぼるとき、
わずかにその存在がたしかめられる、
というような、
だって詩作だから、
語は若干の鞭毛とともに泳ぎまわる、
ヒメは日本語で女子の美称のこと、**hymen** はラテン語で処女膜のこと、
極薄、非決定、マラルメみたい、
閾、ひわひわ、
回転扉、

もう存在しないが、
反町ロマン座では、
陵辱儀式、むきむき夫人、夕顔夫人、やたら夫人だ、
夫人のなかの、いや詩のなかの、
うすい条理の気まぐれ、

排泄物をかたちづくろうとするそのひそやかな蠢動、

ヒメが **hymen** を翻訳したとも、
hymen がヒメを翻訳したとも考えられる、
ありえないことだ、
意味はもとより音まで似てしまうとは、
純粋言語?
ヒメの **hymen** において、
国語と国語とのあいだの、
気の遠くなるような距離がその距離のまま消失した、
とも考えられる、
まさか、私たち奴婢、
ヒメと **hymen** との間を運ぶ、魔を運ぶ、
運んでいるうちに私たちの顔は変容する、
悦ばしくも、
ある者は犬の顔に、
ある者は鳥の顔に、

夜が明けてきた、

すなわち黎明座では、
貝くらべ、女子大生ひだの戯れ、
ひだも戯れも、**pli selon plip**、ぷりすろんぷり、
それはまた詩作の時間でもあって、
中心に核の存在する、存在しない、

純粋言語？　アニマル？

もう存在しないが、
シネサロン・ネムレでは、
団地妻絶頂、暴行壺あらそい、
むしろ縁辺を盛り上げて、よぎる塚の影のように、
熱にうかされて、
熱にうかされて、

第三信　杉中↓野村

野村さん、「動物性　第二信」楽しく拝見しました。動物の詩を、オノマトペのようにして、動

物の鳴き声で書くのではなく、テーマ的に扱う。それは、入沢さんの「牛の首」のように、であると。なるほど入沢さんの「牛の首」は、あれは、動物とも、非動物ともつかないような、何とも言えない、イメージですね。昔、流行った言葉で言うなら、「牛の首」という言葉そのものが物質性を帯びている、とでもいうような。あれは、「牛」ではなく、「牛の首」なんですね。生きているのか死んでいるのか判らないような、たぶん、死んでいる、物質としての「牛の首」なんでしょうけど。ドゥルーズ／ガタリの「動物への生成変化」とは、何か。それは、動物が人間になることであり、人間が動物になることでしょう。野村さんの引用だと、それは「現実に」動物になることではない、とのことですが、私は、やはり動物に「現実的に」成ってもいいんじゃないかと思います。人間が現実的に動物に成ることは可能だし、人間が現実的に神になることも可能です（後述します）。アガンベンの「閾」と言う概念こそ、野村さんのお考えに一番近いのかなと思います。それは、恐らく、人間と動物との間、閾ということだと思います。人間が動物になる、ということは閾を越えることであり、動物が人間になることも閾を越えることです。その閾とは、処女膜です。野村さんは「人間の動物化を、『処女膜』というエロティックな閾と絡めて書いてみた」と書かれています。つまり、人間が動物化するには、処女膜＝閾を越えなくてはならない。人間と動物との間にあるもの、人間と動物の閾とは、処女膜である、ということです。動物性実践（1）「鳥のカタログ」では、「きみ」と様々な鳥たちが閾を接しています。「きみ」という「星の洲のシティ」の「その低地のいたるところに、」「ジャワハッカ」がいる。「きみのからだの痣を、ひとつひとつあさるような」「シロハラハッカ」がいる、という風に。それは、人間が鳥になる、というよりは、鳥と人間のハイブリッド、キマイラのような感じでしょうか。それは、「換喩的変換」であるとも言われ、

「主体攪乱物質」であるとも言われます。動物性実践（2）「アニマル」。「ヒメのhymen」とは、何か。「ヒメのhymen」こそ、人間と動物の閾、その、処女膜を越えることこそ、動物になることです。「ヒメがhymenを翻訳したとも／hymenがヒメを翻訳したとも考えられる、／ありえないことだ、／意味はもとより音まで似てしまうとは、／純粋言語？」と野村さんは書いています。ヒメそのものがhymenであり、hymenそのものがヒメである、ような。つまり、処女膜が閾であるということは、ヒメそのものが、人間と動物の閾であるということです。ヒメを越えることが、動物に成るということです。聖母マリアは処女懐胎しました。つまり、マリアは、処女膜を保持したまま、処女膜を透過して懐胎し、処女膜を保持したまま、処女膜を透過して出産しました。つまり、イエスは、処女膜を越えたのです。イエスは処女膜を越えることによって動物に成り（イエスは魚である）、神に成りました。イエスという神は、女、処女膜によって齎されたが、人間の罪の源、原罪もまた、女（イヴ）によって齎されました。女によって齎された原罪を贖うために、女によって神の子が齎されました。

第四信　野村↓杉中

いやはや、驚きました。「イエスは処女膜を越えることによって動物に成り、神に成った」とは。無原罪の宿りという、キリスト教の教義の最も核心的な部分において、閾が揺らぎ、動物と人間との境界が取り払われるとは。以前ぼくはユイスマンスの『大伽藍』の一部を『神の植物、神の動物』と題して訳したことがあるのですが、そのとき思ったのは、キリスト教というのは、神の作った秩序に沿って動物を実にきっちりと分類し階層化しているということでした。ところがその分類が核心においてあやふやになり、人間と動物との境界が取り払われているとは、キリスト教のパラドックスというべきか、奥深さというべきか。

*

14　世界／セカイ

第一信　杉中→野村

世界／セカイ

世界はどのように形成されるのだろうか。人は生まれたとき世界を持たない。なぜなら、世界は言語でできたものであり、言語を持たない生まれたばかりの人間には、世界は存在しない。だが、生まれたばかりの赤ん坊にも、見えているものがある。何か、混沌とした、だが、混沌としているということすら存在しない。何かを見ているのだが、実際には何も見えていない。これは、別の言い方をするなら、生まれたばかりの赤ん坊は世界を表象できないということだ。なぜなら言語を持たないから。赤ん坊は、おっぱいを吸い始める。精神分析のモデルによれば、それは母親のおっぱいですらない。おっぱいそのものが赤ん坊の世界の全てである。赤ん坊とおっぱいだけが存在し、おっぱいが良く出るおっぱいは良いおっぱいであり、おっぱいの出が悪いおっぱいは悪いおっぱいである。赤ん坊に、世界が形成され始め、世界は良いおっぱいと悪いおっぱいで出来ている。次に、赤ん坊は何か言葉のようなものを発声する。それは、単純に音声そのものであり、その音の連続には意味がない。赤ん坊は口唇的な快感のためだろうか、ある音声を発する。それが最初のシニフィアンである。あるいは、周りで聞こえる音、音声を真似ているのかもしれない。その最初のシニフィアンが抑圧されてシニフィエとなり、二番目に獲得されたシニフィアンと結合する。これを精神分析のモデルで原抑圧といい、無意識が形成される瞬間である。シニフィアンは次々と抑圧されてシニフィエとなり、赤ん坊は言語を獲得する。このころには、表象が可能となり、世界が形成される。

第一信補遺

野村さん。世界ということで、私が思うのは、言語化された世界の獲得の前にいくつかの段階の非言語的な、あるいは、言語と非言語の中間的な世界というものが存在するのではないかということです。まず、何も存在しない、非言語の世界とも言えないような世界。これを〈世界ゼロ〉と呼ぶことにしましょう。〈世界ゼロ〉は存在しない世界で、世界ですらない世界です。一方、私たちが言語を獲得して以降の世界は、〈世界〉と呼ぶにふさわしい世界、世界そのものです。この中間領域、すなわち、言語で表象される世界と、言語の及ばない存在しない世界ゼロとの中間の世界、言語的でも非言語的でもありうるような世界を私たちは〈セカイ〉と呼ぶことにしましょう。そして、私たちが追及すべき世界とは、〈世界〉でも〈世界ゼロ〉でもなく、〈セカイ〉です。で、私が具体的にどのようにセカイというものを考えているかというと、ひとつモデルになるのは、アール・ブリュットあるいはアウトサイダー・アートと呼ばれるものです。アウトサイダー・アートでは、私たちが言語的に表象的に、見ている〈世界〉とは、別の、オルタナティヴな〈セカイ〉が見えているんじゃないかと思えます。私たちは、身体を見ています。伝統的なアートが、ダヴィンチやロダンのように身体を見ているのとは、全く異なる、不思議な、何か普通では見えないようなものが見えている。それが、〈セカイ〉です。このようなアーティストを〈セカイ系〉と名付けることにします。サブカルのセカイ系とは異なる使い方ですが。

ちなみに、そのサブカルのセカイ系について簡単に述べておくと、野村さんも「「セカイ」をめぐる差異」(『危機を生きる言葉』)で、「セカイ」という用語と、カタストロフを結びつけて論じていらっしゃいますが、サブカル用語の「セカイ系」も、まさに、世界の危機、カタストロフと結びついたものです。「セカイ系」では、まず、男子と女子という二者関係が存在します。そして、その二者関係が、歴史や社会、国家といった中間項をすっとばして、いきなり世界の危機、世界の終末に直結するものです。この男子と女子の二者関係は、それだけで充足しています。何も必要としない。そして、女子は、世界の危機を阻止するために、傷つきながら戦います。男子は何もせず、傍観し、それればかりか、戦う女子に一方的に守られています。ここには、二つの奇妙な感じがあります。ひとつは世界没落感、もうひとつは、共依存です。まず、世界没落感ですが、セカイ系の男子と女子は、世界が崩壊することを確信しています。根拠はなく、それは実感のようなものとして判ります。それは、統合失調症の妄想のひとつである世界没落感に似ています。それは例えば、黙示録やメシアの思想が、世界の終末について語るのに似ています。それでも、キリスト教が語った世界の終末は、政治的な抑圧や社会の矛盾といった中間項を含んでいます。サブカルのセカイ系では、そういった政治や社会的な要因といったものがすっ飛ばされて、いきなり世界は崩壊するのです。それは、統合失調症の妄想が、論理や根拠をすっ飛ばして、世界の没落について直感し、実感するのに似ています。共依存については、女子が、傷つきながら世界の崩壊を食い止めるために戦うのに対して、男子は、傍観者であり、女子によって守られているという点が、まさに、DVのカップルにおける共依存に似ています。DVのカップルでは、働かない男が、働く女を殴って働かせ、金を搾取します。それでも、男は女を愛していると言い、女も男を愛していると言う。男は、女を殴って働かせ搾取することで女に依存し、女も殴られて働かされ搾取されることで男に依存しています。これを共依存と言います。これは、サブカルのセカイ系における、傷つき世界の没落を食いとめるために必死で戦い、男子を守る女子と、何もせず、ひたすら女子に守られている男子、という構図に似ています。

脱線しました。私の文脈での〈セカイ系〉に戻ります。たとえば〈セカイ系〉の詩人として、私が思っているのは、山本陽子という詩人です。私はちゃんと読んだことがないのですが、多くの詩人から熱狂的に好かれている詩人です。実際、山本陽子の詩は（横書きの詩は）、不思議な、言葉で出来ています。意味が、あるような、ないような、絵で言えば、アウトサイダー・アートのような感じと言ってもいいのではないかと思います。

野村さん、〈世界／セカイ〉の詩をひとつお願いします。〈世界〉の詩は、私たちが通常書いているような詩です。一方、〈世界ゼロ〉の詩というのもあります。沈黙の詩というか、無としての詩です。例えば、ランボーの沈黙、アフリカのランボーの活動そのものを沈黙の詩、あるいは世界ゼロの詩と呼んでもいいと思います。そして、その中間の詩すなわち、〈セカイ〉の詩。言語的な詩でもなく、沈黙の詩でもない、その両方であるような、ベケットのテクストのようなものを考えることも可能かもしれません。あるいは、先述した、山本陽子の詩。これは、このパラタクシス詩学の実践の中で、一番難しいものかもしれません。よろしくお願いします。

第二信　野村→杉中

世界、と来ましたか。パラタクシス詩学の掉尾を飾るにふさわしく、というべきか。すでに「黙示録」の章でも、ぼくは「黙示録実践」で「World's end café」つまり「世界の終わり」についての詩を書いたわけですが、その「終わり」も取れてついに世界そのもの、ただしそれに、サブカルにも通じる「セカイ」が加わったという感じでしょうか。

たしかにぼくも「世界／セカイ」について言及したことがありました。まずはそのあたりから始めましょうか。かつてぼくは、詩や詩論に「世界」という言葉を使うことにある種のためらいを覚えていました。一九七〇年代から八〇年代にかけて、主体が対峙すべき世界、たとえば「革命」へと止揚されるべき「世界」は遠く去り、しらけた日常だけがあるという感じになっていたからです。

一九七〇年代初頭に出た粕谷栄市の名詩集『世界の構造』の表題作は、「世界の構造」とは名ばかりの古ぼけた書物をめぐる話で、強烈なアイロニーを伴っていました。そういう時代に育った人間にとって、ある時期から若い詩人たちが「世界」という言葉を比較的さらりと使うのをみて、少し驚いた記憶があります。例えば「適切な世界の適切ならざる私」（文月悠光）。いま詩人たちが「世界」と言うときは、かつてのような、いわば大文字としての「世界」ではなく、各自のモナドの窓から見た外界、したがって「世界」というよりは動物の「環界」に近いものと言えるでしょう。あるいは、サブカルにおける「セカイ系」と同じように、中間項をすっ飛ばしてしまう。あるいは、中身のない「世界」。「でも大丈夫、私が、世界を何度だって作り直してあげる」（最果タヒ）。

でも、セカイ系における世界没落感はわかるような気がするなあ。この『パラタクシス詩学』でも、「メシア実践」のところで、「ねえメシア、//革命にせよ、きみの到来にせよ、未来のある時点を仮想してそこに現在が収斂してゆくというような時間意識は、もはやわれわれのものではない、そして未来がなくなったその分だけ、よくも悪くも、現在がせりあがり、水ならぬ灰のさざなみのように、果てしもなくひろがってゆく」と書きましたが、そういうことですよね。ぼくはサブカルにはひどく疎く、新海誠作品ぐらいしか知らないのですが、あのアニメに描かれているような、現在イコール世界の終末みたいな感じというのは、なにかこう、ある種の情感とともに、皮膚感覚的にわかってしまうところがあるんですね。

それと、世界の終わりということでぼくが思い出すのは、石原吉郎の「世界がほろびる日に」という詩です。

世界がほろびる日に
かぜをひくな
ビールスに気をつけろ
ベランダに
ふとんを干しておけ
ガスの元栓を忘れるな
電気釜は
八時に仕掛けておけ

世界の終末論的展望というキリスト者石原吉郎にとって避けられないテーマがいきなり提示され、かつまた、それがユーモアによって徹底的に相対化され無化されています。世界没落のさなかに、日常へと時間は宙吊りにされる。こういう処し方は、そこからユーモアを引けば、この詩人の、以前にも引き合いに出したことがある「半刻のあいだの静けさ——わが聖句」というエッセイにも通じるものがありますね。「第七の封印を解き給ひたれば、凡そ半時のあいだ天静かなりき」(「ヨハネ黙示録」)——待機のような、あるいは猶予のような、世界の終わりのまえの「凡そ半時のあいだ」の静寂への痙攣的没入、ぼくもそこに胸を締めつけられるような共感をおぼえます。

それとは別に、近年、「世界」について考えさせられることがありました。マルクス・ガブリエルの『なぜ世界は存在しないのか』(清水一浩訳、二〇二〇)を、その題名に惹かれて読んだからです。現代思想の新しい潮流、「新しい実在論」とか「思弁的実在論」とかの、いわゆる「ポストヒユーマニティー」の潮流を作り出すきっかけになったような書物ですが、思ったほどの衝撃は受けませんでした。新潮流のもう一人の旗手、カンタン・メイヤスーの『有限性の後で』（千葉雅也ほか訳、二〇一六）も読んでみましたが、人間と相関しない現実がある、それはその通りだとしても、だからどうなの、という感じでした。いずれの場合も、哲学史的文脈で言うなら、カントの「物自体」がふたたびクローズアップされているという感じで、「世界」とは人間と相関的な意味の場のひとつというにすぎず、その外に人間とは関係のない、あるいは世界が終わったあとの「現実」が広がっている、それを思想の対象とすべきだ、ということらしいのですが。もちろん、人類が自らをここまで危地に陥れてしまった人間中心主義は、克服されるべきであるとは思いますけど。「世界」をめぐるそんないろんなことがあって、いままた、杉中さんから、「世界／セカイ／世界ゼロ」という概念の提示を受けて、ここにいるわけです。これは言語を軸にした、あくまでもひとりの人間の内なる世界把握の諸層という感じで、なんとなくラカンの象徴界／想像界／現実界を思わせますね。あるいは、井筒俊彦や丸山圭三郎の言語哲学の方により近い感じかな。

井筒俊彦の言語哲学のキーワードは分節ということで、井筒は、われわれの表層意識を「分節（I）」と呼び、そこではわれわれは世界を本質のつらなりへと分節すると言います。ロゴスの働き、つまりふつうの経験的世界における言語のはたらきですね。でも井筒は、そうした分節の及ばない深層意識があると言い、それを「絶対無分節」と呼びます。一種のカオス状態ですね。そうしてさらに、ここからがハイライトですが、その「絶対無分節」をくぐって行なわれる別様の分節があると言い、それを「分節（II）」と呼ぶんですね。この「分節（II）」は、丸山圭三郎がかつて提唱した「コードなき差異」に似ている。丸山はその著『言葉・狂気・エロス』（一九九〇）の中で、井筒の『意味の深みへ』（一九八五）からの一節を引用しながら、「そうしてみると、井筒氏のいう深層の言葉は、ソシュール＝ラカンの考えたコード化される以前の、絶えず動き戯れる言葉の音のイメージ、筆者の用語である〈コードなき差異〉としての言葉に相当すると言えまいか」と述べています。

いずれにしてもこうして、井筒の言語哲学の根本は、「分節（Ⅰ）」から「絶対無分節」を経て「分節（Ⅱ）」にいたる言語活動のダイナミズムにあるということになるでしょう。井筒はそして、このプロセスを禅の思想に適用してゆくのですが、すなわち禅においては、その「未悟」「悟」「已悟」のプロセスを通じて、言語＝世界は無「本質」的な「事事無礙」となる。そして道元のまさに存在論的流動ともいうべき「水清くして地に徹す、魚行きて魚に似たり。空闊くして天に透る、鳥飛んで鳥のごとし」という章句を引用しています。私たちの詩作も、もしそれが本格的なものであるならば、このプロセスを踏んでいるはずで、つまり「絶対無分節」をくぐった「分節（Ⅱ）」であるのが望ましい、いや、あるべきだ、ということになるでしょうか。

さてそこで、杉中さんの「世界／セカイ／世界ゼロ」ですが、「世界」が「分節（Ⅰ）」に、「世界ゼロ」が「絶対無分節」に、「セカイ」が「分節（Ⅱ）」に近いということになります。面白いですね。そして杉中さんは「セカイ」の例として、アール・ブリュット（アウトサイダー・アート）と山本陽子をあげています。それも面白い。

実はぼくもアール・ブリュットが好きで、以前、世田谷美術館で行われた「素朴派とアウトサイダーの世界」展について、新聞にエッセイを書いたことがあります。それをそのまま掲出しておきましょう。

世田谷美術館に「素朴派とアウトサイダーの世界」をみに行く

野村喜和夫

思い出していた。世田谷美術館への緑豊かな小道を歩きながら、あれはいつだったか、同じこの美術館に「パラレル・ヴィジョン」展をみに行ったときの衝撃を。精神を病んだ者たちが描く、驚くべきヴィジョンの数々を前にして、だが私は、たんに遠い事例に接したのではなく、私自身の、しかし自分では表現し得ない心の底をみせてもらったような気にもなったのだった。

美術館の中庭に、とてつもなく大きな櫟の木がある。櫟は雑木林を構成する主要な樹木のひとつで、ふだん見慣れているだけに、単独でのその大きさが異様にみえるのだろうか、櫟を超えた櫟、櫟でありながら、全くべつの怪物的ななにかに変容してしまった櫟。

美術館に入って行く。アンリ・ルソーからみる。展示の各セクションに沿って、いわば美術史のオルタナティブともいうべきストーリーが辿れるようになっているが、ここは「1　画家宣言——アンリ・ルソー」。素朴派の代表として知られるルソーは、しかし同時に、ピカソをはじめとする20世紀美術の担い手たちに影響を与えた。つぎは「2　余暇に描く」「3　人生の夕映え」。専門の美術教育を受けないまま市井に生きた人たちの、あるいは晩年になって絵筆を握った人たちの絵だ。どの作品からも、不思議なあたたかさが伝わってくる。「4　On the Street, On the Road　道端と放浪の画家」では、やはりなんといってもジャン＝ミシェル・バスキアの、都市と原初的なものとの出会いの瞬間そのものを定着せしめたような作品が圧倒的だ。

そうして、「7　シュルレアリスムに先駆けて」のセラフィーヌ、ハーシュフィールド、また彼女たちと類縁する草間彌生の作品を経て、ようやく「8　アール・ブリュット」に辿り着く。アール・ブリュット（生の芸術）とは、子供や精神病者の絵への、フランスの画家デュビュッフェによる命名で、のちに英語でアウトサイダー・アートとも呼ばれるようになった。私事になるが、ずっと以前、『狂気の涼しい種子』という詩集所収の詩に、「やがて空はモザイク状にひび割れはじめ／そのかけらが何枚か落ちてくる／デュビュッフェ片その他の片」と書きつけたことがある。おそらくそのとき、空を見上げながら、私は私自身の知られざる心の変容をのぞきみたのだ。

思い出しながら、そのものずばり、「9　こころのなかをのぞいたら」に移動する。アンドレ・ブルトンによって賞賛されたヴェルフリの、文字や音符を混在させたなんとも細密な平面作品を凝視していると、私の内部にも粟粒が立ち、だがすぐさま、絹のような音楽がそれをならしていく。いいようのない騒擾と平安が同時的に感じられるのである。それは通常の美術作品をみるかぎりでは滅多に起こらないことだ。私がアウトサイダー・アートに惹かれる理由も、ひっきょう、そのあたりにあるのかもしれない。文学と狂気の関係なら、言語がそこに深く関わっており、いくらか私も考えたりすることができる。要するに、狂気への近接のうちに文学や詩はあり、ほんとうの狂気に捉えられたら、もう言語作品は症例となってしまうのだ。ところがアウトサイダー・アートの場合は、図録に紹介されたある精神科医の証言によれば、「患者が深刻な病体にある時のドローイングは、そうでない時よりも、はるかに創造的で、しばしばより芸術的ですらある」という。より深淵なのだ。だからこそ、のぞかないわけにはいかない。「10　グギングの画家たち」。グギングとは、幾多のアウトサイダーの画家たちを生み出した精神病院の名前である。

美術館を出る。音楽がまだ耳に残る。夕まぐれに近く、櫟を超えた櫟が、空を覆い尽くすように、そうしてそこに「魂のかくれ場所」（草間彌生）を設けるように、いちだんと黒々と枝葉を張りめぐらせて私を迎えた。


山本陽子も、まあ言ってみれば、アール・ブリュットの一種ではないでしょうか。いま手元に山本作品がないので引用はできないのですが、昔読んだ記憶で言えば、ぼくも彼女の作品はすごいと思う反面、熱狂的に語る人たちとは距離を置いて、「狂気への近接のうちに文学や詩はあり、ほんとうの狂気に捉えられたら、もう言語作品は症例となってしまうのだ」とエッセイに書いたその「症例」に、やはりあたるのではないかと考えてしまいます。微妙なところですけど。

そして杉中さんは、ぼくに「世界／セカイ」の詩を書いてくれと注文します。世界とセカイを行ったり来たりする詩、ということでしょうか。ぼくは山本陽子ではないので、「セカイ」そのものの詩は書けないわけです。ただ、「世界ゼロ」をくぐったふりをして、狂気への近接あるいはシミュラークル、つまり「セカイ」もどきを詩作に持ち帰ることはできるかもしれない。超難題ですが、『パラタクシス詩学』の掉尾を飾るべく、やってみましょう。「世界以前」と題してみました。

世界／セカイ実践

世界以前

おめでとう
脳葉ひらひら舞っている
　　どころの騒ぎでは
なかったよ、それ
果ての世の
　ワッ、キーン
ワッ、
　　ひとばたばた死ぬ
　パンデミックの
閑散、とある昼下がりの公園の
　　ビーン、キーン
　キーン、ビーン
滑り台やジャングルジムに
どこからかゆらゆらと
水子たち

集まってきて
麩音、　非隠蔽
まつわりつき、はじめる
くぷっ、卵なら孵り、　ぷおっ、母衣も膨れ
でも始まりの音へと
迷うのでした
ビーンだったか、キーンだったか
ああ阿鼻、あびる
海くさっ、な、ゼラチンですよ
ぷやぷやぷるぷる、骨と絡んで
みんなの身にも南はある
みたいな、言葉にならないウーとかキーとか
果ての世に
生まれ出なかった水子たち
でも　どこか明るそうで
灰のから、レレて
きゃん結合
ぷるん放出
出来損ないの死を生きて

ビーン、　キーン、　ワッ、
いるんだね
キーンの和
あるんだね、水の永劫
そこに世界やセカイの記憶の脂も溶けて
虫なのか光なのか
エヴァのための
陽泥井戸
ひっ、どろいど、
どろっ、とイドから
水子たち
ふおん、　ひいんぺい
むしろ生まれ出なかったことの喜びを
ざわめかせている
脳天、むらさき
かのようだ、
う、まれ
マッス
崩壊ちちっ
崩壊ちちっ

*

ぼくの最新詩集『妖精DIZZY』（二〇二一）は、山本浩貴＋h（いぬのせなか座）の大胆な本文レイアウトによって、マラルメのあの『賽の一振り』を彷彿させるものになっていますが、ここでもそれを真似てみました。字体や文字の大きさをさまざまにし、それらを面的に上から下へとページ横断的に配分したわけです。いきおい、シンタックスも複雑になっています（これもパラタクシスでしょうか）。さらに、『賽の一振り』では、十面以上にわたって展開する言葉の空間配分のうち、一番大きな字体の大文字で印字された部分を辿っていくと、UN COUP DE DES JAMAIS N'ABOLIRA LE HASARD（「賽の一振りは決して偶然を廃絶しないだろう」）という一つの文になるのですが、ここでも、ゴシック体の部分を辿っていくと、「おめでとう／公園の／滑り台やジャングルジムに／どこからかゆらゆらと／水子たち／集まってきて／まつわりつき／言葉にならないウーとかキーとか／生まれ出なかった水子たち／でもどこか明るそうで／むしろ生まれ出なかったことの喜びを／ざわめかせている／かのようだ」という単線的な文、つまり「世界」の詩になっています。内容的には、いわゆる反出生主義です。すなわち、「人間は生まれないほうがよかった」という身も蓋もない思想。生まれなければ世界もないわけですから、まさに「世界以前」。この反出生主義については『現代思想』で特集が組まれたりしていますが、ぼくにとっては、ほかの誰彼よりも、ルーマニア出身のフランスの思想家シオランの著作『生誕という災厄』にとどめを指します。ぼくのような人生の敗北者（定職にも子供にも恵まれなかった！）にはなんとも溜飲の下がる本でして、たとえばそこには、すでに「トランジット実践」のところで引用しましたが、「私がこしらえようとしなかった子供たち、もし彼らが、私のおかげで、どんな幸福を手に入れたか知ってくれたなら！」というような毒舌のアフォリズムを読むことができます。

この「世界」の詩を縫うように、ぼくなりの「セカイ」的な詩の破片、丸山圭三郎の言葉を借りるなら、「コード化される以前の、絶えず動き戯れる言葉の音のイメージ」が鏤められています。その多くは、これまでのぼくの詩集から、ときに「野村語」などと呼ばれたシニフィアン優位的な言葉を採集したものです。ネタばらしをしてしまいました。

第三信　杉中→野村

野村さん。第二信、「世界／セカイ」実践、楽しく拝読しました。野村さんは、すでに、セカイの詩を書いていたのですね。「ときに『野村語』などと呼ばれたシニフィアン優位的な言葉」すなわち、「ワッ、キーン」「ビーン。キーン」「ぷくっ」「ぷおっ」「ぷやぷやぷるぷる」「ウーとかキーとか」「レレて」「きゃん結合／ぷるん放出」「ひっ、どろいど」「ふおん、ひいんぺい」「崩壊ちちっ」。これらの言葉のみで一篇の詩を書いたら、恐らく、私の考えるセカイの詩、山本陽子的なセカイ系の詩になると思います。が、野村さんは、「狂気への近接のうちに文学や詩はあり、ほんとうの狂気に捉えられたら、もう言語作品は症例となってしまうのだ」とも書かれています。ですが、ここで問題になるのは、アルトーのテクストをどう考えるか、ということです。野村さんの分類で言えば、アントナン・アルトーのテクストは、文学作品なのでしょうか、それとも症例なのでしょうか。もう一つ例をあげます。ブルトンとエリュアールの『処女懐胎』（一九三〇）というテクスト、あれには、仮病の試みみたいなのがあります。まさに、狂気を装ってテクストが書かれている。『処女懐胎』は文学作品なのか、症例なのか。私の考えを述べます。文学作品は存在しない、症例は存在しない、です。すなわち、全てのテクストは文学作品であり、全てのテクストは症例である、とも言えます。つまり、私たちは全ての文学作品を症例として読むことができます。同様に全ての症例を文学作品として読むことができます。このこととリンクするかもしれませんが、野村さんが書いていらっしゃる「物自体」とか「現実界」というものは、そもそも存在しないんじゃないか、ということです。言語や表象の及ばない世界というか領域というものは、そもそも存在するとも言えるし存在しないとも言えます。マルクス・ガブリエルにとっては、言語や表象の及ばない世界も、言語や表象の世界と同時に同一に存在する、というようなことなんだろうと思いますが、それは存在すると言ってもいいし、存在しないと言ってもいい、どっちでもいいということなんだろうと思います。これは、マルクス・ガブリエルが「世界は存在しない」と言ってるのとは全く別のことですが。世界は存在しない、ということでいえば、私が「世界ゼロ」と言ったのは、世界が無であるということです。生まれたばかりの赤ちゃんは無の中にいます。野村さんは、私の「世界ゼロ」を、井筒俊彦さんの「絶対無分節」のようなものじゃないか、と書かれてます。「絶対無分節」は「分節の及ばない深層意識」であり、「一種のカオス状態」とも野村さんは書かれています。ここで、私は思ったんですが、確かに、世界ゼロは無ではあり得ないということです。野村さんが仰るように、世界ゼロも何かではあるはずです。もし、世界ゼロが無だとするなら、世界ゼロが、言語的なセカイや世界に発展することはあり得ないだろうからです。無からは何も生まれない。だから、世界ゼロの中にも、後の言語の萌芽のようなもの、表象の萌芽のようなものは含まれている。それは例えば、言語に関わる遺伝子、表象に関わる遺伝子のようなものではないか。私は「世界ゼロ／セカイ／世界」という三段階の発達を、世界獲得の過程として考えています。それは、謂わば世界の起源です。一方、世界没落感は野村さんが仰るように「世界の終わり」に関わるものです。野村さんは書いています。「ここでも、ゴシック体の部分を辿っていくと、『おめでとう／公園の／滑り台やジャングルジムに／どこからかゆらゆらと／水子たち／集まってきて／まつわりつき／言葉にならないウーとかキーとか／生まれ出なかった水子たち／でもどこか明るそうで／むしろ生まれ出なかったことの喜びを／ざわめかせている／かのようだ』という単線的な部分、つまり『世界』の詩になっています。」私は赤ん坊の言語獲得の過程で世界が獲得されるというモデルを考えましたが、野村さんは赤ん坊以前、すなわち水子の世界を考えていらっしゃいます。水子にとっての世界とは何か。あるいは、これを敷衍して言うなら、胎児にとっての世界とは何か。羊水に浸っている胎児が聞いている、声や言葉、音など。温みや、触覚。さらに言えば、夏目漱石が、禅のお寺で言われた言葉、「父母未生以前の面目」、という公案。世界の起源を辿るには、水子や胎児、父母未生以前の面目、について考えなくてはならないでしょう。一番素朴に答えるなら、遺伝子でしょうか。遺伝子の中に、言葉に関する遺伝子があり、それは、父母が生まれる以前から存在する遺伝子であり、水子にも、胎児にもある遺伝子です。表象に関する遺伝子であり、世界に関する遺伝子でもあります。世界の構造というのは、遺伝子情報なんじゃないか。それは野村さんの言う「世界以前」です。

第四信　野村↓杉中

第三信、興味深く拝読。「世界以前」というぼくの詩からさまざまな問題を引き出していただいて、それにいちいち答えていたら収拾がつかなくなるほどですが、そういう開かれた状態のままこの『パラタクシス詩学』を放り出すというのも面白いかもしれません。

とはいえ、まず詩と狂気の関係について言えば、それはおそらく、ものすごく本質的なものなのであろうと、そのように大きく捉えたいと思います。「文学作品は存在しない、症例は存在しない、すなわち、全てのテクストは文学作品であり、全てのテクストは症例である」とは、うまい言い方を考えましたね。確かに、ここまでが正常、ここからが異常、というふうには分けられないわけですから、集合論的に、全ての詩はいくぶんか狂気であり、全ての狂気はいくぶんか詩である、と考えたほうがいいのかもしれません。人間は言語を話す動物なので、狂気は主として言語にあらわれますが、他方、言語の詩的使用という面から考えていっても、それはある意味、言語の狂気ともいえるものなので、両者つまり狂気と詩とは不可分の関係にあるというわけです。私のベルギー人の友人に、ヤン・ローレンスという、詩人にして脳科学者という変わり種がいまして、彼がいうには、「それ［＝ドーパミン］が一定の働きをしていないとき、かえって思考＝言語は多様な自由の度合いでもって機能する。そうして、より創造的で直感的あるいは連想的になり、通常のロジックではついていけないような、場合によってはそれがスキゾフレニー（統合失調症）をもたらすような、つまりひとことでいえば『詩的』なものになる。」詩人たらんとする者、意識的無意識的に、言語のこの「多様な自由の度合い」をなんとか実現しようとするものなのでしょう。

マルクス・ガブリエルの「世界は存在しない」云々は、たしかに思弁的なレベルでの問題かもしれませんね。ものみな意味の場に現れる。これに対して世界とは、全ての意味の場の意味の場であり、しかしそういう世界を包摂する意味の場は定義上不可能であるため、世界は存在しないということになる。

逆にいうと、世界は存在しなくとも、素粒子やゴジラはそれぞれの意味の場に存在しうるわけで、われわれもまたどこまでも言語動物として存在していいのだとしたら、それなら「言葉の遺伝子」を「父母未生以前の面目」まで辿るという杉中さんの考え方のほうが、あるいは現実的かもしれません。禅の公案と「言葉の遺伝子」というメタファーの取り合わせが、なんとも面白いですね。遺伝子に仏性ありや、ということになるでしょうか。遺伝子というと精妙な塩基配列のイメージがあって、それにわれわれの自由が縛られているような、あまりいい印象はありませんが、「言葉の遺伝子」となると、それが詩的言語を発現させる原基になると考えれば、仏性があるもいいところでしょう。言葉の遺伝子の川。水子たちの笑い、母の水、いや水の母たちも混じって、水の母？「の」を取ると「水母」つまりクラゲになってしまいますが、「世界以前」を寿ぐせせらぎのなか、「失われた時」のほうから、「の」がふたたびあらわれ、「アイアイのさざ波の貝殻のきらめきの（……）あす　あす　ちやふちやふ」（西脇順三郎）という音も聞こえてきて、どうやらこの『パラタクシス詩学』も大団円を迎えたようです。

番外　コロナ（COVID-19）

第一信　杉中↓野村

コロナ

通称、新型コロナ・ウイルス。正式名称、COVID-19。コロナ自体は、自分で増殖できない。だから、生物の細胞に自らのRNAを侵入させて、細胞本来のDNAの代わりに、侵入したコロナのRNAを複製させる。これによってコロナは増殖する。この場合、侵入された生物の細胞を言葉と考え、そこに侵入したRNAを意味と考えると、コロナは、自らの意味を、生物の細胞（言葉）の意味の代わりに置き換えるということになる。これは、ある言葉がひとつの意味から別の意味に変換される、メタファーに似ている。コロナは、メタファーによって増殖しているのである。

第一信補遺

野村さん。『花冠日乗』の連載が始まりましたね。毎回、楽しみに拝読しています。野村さんは、というか、詩人は、荒野を彷徨い歩いています。街は、おそらく廃墟のように、ひとけがなく、空虚に静まり返っています。詩人は荒野を彷徨う。街には恐ろしい危機が近づいている。だが、人々はその恐ろしさにまだ気づいていない。出歩いても大丈夫だろう。私が感染することはない。感染しても重症化するリスクは少ない。娯楽に興じても、明日は必ずやってくるだろう。人々は本当の恐ろしさに気づいていない。ここは荒野だ。だが、誰も詩人の声に耳を傾けない。詩は、音楽がつけられ、写真が飾られ、世界に発信される。人々は、荒野から、詩人を眺め、詩人の声は、徐々に世界に届き始める。だが、この危機の本当の恐ろしさは別のところにあります。メタファーが世界を覆い尽くし、メタファーが世界を滅ぼすということです。メタファーによって、正常な意味が次々に乗っ取られ、メタファーによって次々に書き換えられていく。このメタファーの機能に対する防御規制のようなもの、すなわち免疫細胞が、一部の症例では暴走し、メタファーを破壊するだけではなく、本来の意味すらも破壊する。野村さん、事態はどのように終息するのでしょうか。ひとつは、ワクチンの開発によって、メタファーの侵入を防ぐこと。もうひとつは治療薬の開発によって、メタファーそのものを破壊すること。いずれにしても、長期的には、メタファーがメタファーとしての衝撃を薄れさせ、もはや慣用句のように人々の人口に膾炙するようになると、メタファーの毒性は薄れることになります。それまでに、どれほどの犠牲が生じるのか。もはやそのとき、世界は荒野であり、世界は廃墟となってしまっているのではないか。だが、ベンヤミン風に言うなら、そのような廃墟、そのような瓦礫のなかから、私たちの新たな未来、新たな希望を紡ぎ出すのが、天使なのではないでしょうか。

第二信　野村→杉中

コロナ禍。言及していただいたように、四月下旬からぼくは、白水社のウェブマガジンに詩を連載しています。コロナ禍を詩人としてどう生きているのかをテーマに据えた長篇詩で、題して「花冠日乗」。花冠は新型コロナ・ウイルスのことですが、コロナは正確には光冠です。皆既日食のときに黒い太陽を縁取る光の冠。でもぼくはウイルスに光という属性を与えたくなかったので、花冠としました。すると花とのおぞましいアナロジーが生まれます。「花冠日乗」にはかなりの数の草花が登場し、ちょっとした植物誌の様相を呈していますが、コロナとの見えないネットワーク、つまりそれ自体が詩的なネットワークを組織しているかのごとくです。

さて、杉中さんの第一信。コロナやポストコロナをめぐって、ネットはもとより、雑誌媒体でも特集が組まれ、さまざまなことが言われていますが、杉中さんの見方は、この「パラタクシス詩学」の流れに合わせたのでしょうか、ウイルスとメタファーとのあいだに類比の関係を見出して、トリッキーというのか、しかしたいへん面白いと思いました。ウイルス＝メタファー説。そうすると詩はどうなるのでしょう。詩もメタファーであるとすれば、どこにウイルスとの差異を見出すべきなのでしょう。詩的メタファーもまた言語を乗っ取りますが、しかし言語を殺してしまうことはありません。むしろ豊かにします。ウイルスに侵され貧しくなった現実世界に、極めて微細ながらも、メタファーによって豊かにされたもう一つの言語世界を対置させます。というようなパラノイア的希望のもとに、パラタクシス実践として、「花冠日乗」から、メタファー中心的に組成された部分を抜き出して「花冠日乗抄」を編んでみました。全体の四分の一くらいの分量です。少々長いですけど、お読みください。

そうそう、ベンヤミンの天使。クレーの「新しい天使」に与えたベンヤミンの解釈はあまりにも有名ですが、やはり、引用しておくべきでしょう。

「新しい天使」と題されたクレーの絵がある。それにはひとりの天使が描かれていて、この天使はじっと見つめている何かから、いままさに遠ざかろうとしているかに見える。その眼は大きく見開かれ、口はあき、そして翼は拡げられている。歴史の天使はこのような姿をしているにちがいない。彼は顔を過去の方に向けている。私たちの眼には出来事の連鎖が立ち現われてくるところに、彼はただひとつのカタストロフィーだけを見るのだ。そのカタストロフィーはひっきりなしに瓦礫のうえに瓦礫を積み重ねて、それを彼の足元に投げつけている。きっと彼は、なろうことならそこにとどまり、死者たちを目覚めさせ、破壊されたものを寄せ集めて繋ぎ合わせたいのだろう。ところが楽園から嵐が吹きつけていて、それが彼の翼にはらまれ、あまりの激しさに天使はもはや翼を閉じることができない。この嵐が彼を、背を向けている未来の方へ引き留めがたく押し流してゆき、その間にも彼の眼前では、瓦礫の山が積み上がって天にも届かんばかりである。私たちが進歩と呼んでいるもの、それがこの嵐なのだ。

この天使の眼差しは、おこがましいながら、「花冠日乗」における詩人のまなざしにも通じるものがあるかもしれません。

コロナ実践

花冠日乗抄

雨の日々には、きみの武器の手入れをするがよい
——ルネ・シャール

この世界については、おまえが去ったあとどうなるのか。
いずれにせよ、ひとつとしていまある姿ではないだろう。
——アルチュール・ランボー

誰が私のなかでざわめいているのだ
おまえはおまえの不安を駆れ

と誰が
私のなかで
静かにしてくれないか、ひとひとりが終わろうとしているのだ
という声もどこかから聞こえてきて

隣の半島からミサイルが飛んでくるとか
だからそれを迎撃するシステムを宗主国から導入しなければならないとか
いつのまにこの国は、こんなに物騒になったのだろう
と思っていたら
今度は毒のある花冠がやってきた
正式名
COVID-19

世界の隠された意味なんかない?
たぶんそうだ、その証拠に
毒のある花冠がやってきたのだろう
みえないまま、しかしその脅威は隠れもない

――あなたはひと月後のいまの時刻にどこに確実にいると思いますか？
――たぶんここに、反復されるここに。
――確実という言葉に適当な比喩をそえて下さい、たとえば「鉄のように」確実とか、「岩のように」確実とか
――そうですね、惑星の裏手で待つ未知の波濤のように確実、というのはどうでしょう。

散歩に出る
世田谷の
区画整理されていない住宅街は
迷路を行くようで楽しい
でも気づいてしまう
たわむれているのは私ではなく道だ、未知だ、みえないまま
損なわれた生があちこちにころがっている
半分は私として
うつほ
うつろぎ
おまえはおまえの不安を駆れ
世田谷の

迷路のような街から街へ、抜け道へ、この先行き止まりへ
ほかに何ができるだろう
毒のある花冠が世界を覆ってしまったのだ
川べりの風にふるえる
青い花ネモフィラ

――あなたにとって確実であっては困ることをひとつ挙げるとしたら？

――ここが反復されるここではなくなること。

――その理由は？

――だってここが反復されなければ、惑星の裏手で待つ未知の波濤もなくなってしまうでしょう。

4月7日
政府から緊急事態宣言が出た
戦後初めて、毒のある花冠に誘われて
国家がその姿を剥き出しにしたというべきか

と同時に、いまや私はひとりではない
私のなかの誰かが
いたずらに不安におののき、ざわめいているのだ

私たちもまた
剥き出しの生

もう葉桜だ
すべてが止まってしまったような
先が見通せない不安の現在
だけが突出しているような、奇妙な時間の宙吊りのなかで

岩石の淋しさ
とうたった詩人がいた
いま岩石に私の駆る不安は映らない
むしろ笑う、岩石は笑う、しかしこれも誰かの詩のなかになかったか
と思いつつ静かに羽根木公園を
抜ける

風の余白に墨の飛沫が走って
それが私の詩だ

――「確実なものはひとつもないから生きてゆける」という言葉をどう思いますか？

——その通りだと思います。確実なものはひとつもない、それはつまりたくさんの未知があるということでしょうから、その未知に向かってここが反復され、私は生きていくことができるのです。

コロナによって私は自分自身を軟禁してしまったので
いや、主客を入れ替えよう
コロナが私を軟禁してしまったので
私はますます詩人でしかない

ということは、がらんとしたきょうの私に
あすの誰かが入り込み
私の内なる壁を
海老や太陽が跳梁するなにやら稚拙な素描で埋め尽そうとしている

繰り返そう、コロナが私を軟禁してしまったので
私は内界が外界だ

きみと連れ立っての
反芻
夢遊系の

薄明の路傍は
どうしてこうも名前の知らない花ばかりつづくのだろう
果てに私たちの
とりどりの **DEAD HEAD**
陶酔とは、なおその骨の隙間から流れ出る音楽の絹
でもあろうか

――それにしても、ここが反復されてゆく、とは？
――ずれてゆくということです。反復は同一性を保証しません。幾度か反復されるうちに、ここがここではまったくちがう場所になってしまうかもしれません。

4月**21**日
生垣から私の肩へ
コデマリの白い花が雪崩れてくる

近づくな
触れるな
語り合うな

近づくな、触れるな、語り合うな

だからこれからは
空隙がふえるのだ
ひとではなく、ひとのひととの空隙が意味深いのだ
そこに花冠を沈ませるため
空隙は増え、空隙は育ち
だが私の脳では
間違ってひとが空隙に空隙がひとに成り変わってしまう
ひとという空隙から
空隙という人から
なおもうっすらと肉の頭があらわれ
竹、竹、竹
のようにあらわれ

――ところで、何を根拠に「私は確実に死ぬ」といえるのですか、確かめたわけではないのに？

――たしかに、他者によってのみ私の死は確かめられます、確かめられもしないのに、私は確実に死ぬ、この絶対矛盾に耐えられるでしょうか。

私はみた
一茎のヒメムカシヨモギが
死後硬直のように陽に許されてあるのを

4月**22**日
大絶滅とは
私たちが死に絶えたあとの地表を
なおうっすらと陽は射し
ヒトの大きさの虫が這いすすむのがみえる
虫は救われて、羽を光沢ある聖書のようにひろげる

私とは叫びが
微粒子のざわめきとして絶えず耳の底に充満している
きれっきれの、沸騰しつづける臨床

コロナが私を軟禁してしまったので
私は扁桃体がボヤだ

コロナが私を軟禁してしまったので

老年が断崖のように輝く

コロナが私を軟禁してしまったので
胸郭に思惟の猿を招き入れる

コロナが私を軟禁してしまったので
さみどりに渦巻く夢また夢

コロナが私を軟禁してしまったので
どこかで羽化の音がする
羽化？

コロナが私を軟禁してしまったので
キラキラとどこからか尿
尿？

空の青でさえ
じっと眺めていると
なんだか静謐すぎて、 静謐な音の傷で満ちているかのようで

こっちが狂ってしまいそうだ
青は恐怖の色
かもしれない

——逆に、他者がいなければ「私の死」が確かめられることもない？ 「私」は永遠のなかに生きる？
——そう。無から無へと、その中間を経ずに渡ればよかった、つまり生まれなければよかった、ということになります。母よ、私の消去をなせ、二度ともう私をひり出すな。

ねえメシア
とたわむれに呼びかけてみる

ねえメシア
夕焼け領という美しい言葉が
誰かの詩にあったように思う
夕焼けもまたひとつの終末であるとするなら
夕焼け領とは
終末が終末のまま美しく囲い込まれている修辞の王国の別名
でもあろうか、詩の別名

でもあろうか

ねえメシア
毒のある花冠が去ったあと、世界はどうなるのだろう
旧約の通りなら
大洪水によって世界は初期化され
神との契約の虹が架かる
対してランボーの「大洪水のあと」の通りなら
虹がかかるそばから、汚れた大通りに肉屋ほかの店々がそそり立ち
極地にまで豪華ホテルが建てられたりする
かくて世界は元の木阿弥
となって、あらたな大洪水をねがう呪文が響きわたるのだ

それでも夕焼け領は
十分に美しいというべきだろうか

4月23日
春の大三角を仰ぎ
アルクトゥールスから届いた光年の雫を飲む

きりもなく飲む

毒のある花冠は奪う、きりもなく奪う
肉を踊らせたあの騒擾の記憶も
サキソフォンの優美な曲線も
いまは遠い
でも母なる言語だけは残る、残るだろう
たとえまあたらしい廃墟のような街に放り出されたとしても

きみに伝えたい何かを探して
私はなおもひとり歩く
たとえばひっそりと粥のような疲労のひろがりのなかで
夜の舗道を横切る猫の
ひとすじの光のような跳躍
ためらいとは無縁な
あれだよあれ

4月29日
夕映えに立つ送電塔

そこから静かな災厄がひろがっている
のか、街景は何ひとつ変わらないのに、私たちのうちで
いっそ災厄にヘヴンとルビを振り、なぜヘヴン、ハナニラの低い繁み
繁みのなかの誰も彼もひとりへと捩れて

そしてようやくわかった、ひとひとりの終わりは
眼だけ残って
野生となる
ので、何ひとつ見てはいない
むしろ向こうから飛び込んでくるのだ
石のひかり葉むらのひかり光ただ光さえずりさえもひかり
の楔となって文字の初期となって

迎えるといいよ、廃墟は回帰性だからさ
と私のなかの誰かがささやく
苦しげな戦意のかけらは
非馥郁と
たたまれて
私たちの誰彼の肺胞へと送り込まれているんだ

毒のある花冠になんかいつだって先駆して先駆して先駆して

5月**7**日
緊急事態宣言が延長された

私は見てしまった
ような気がする
毒のある花冠に促されて
街にはいきいきと無人のやすらぎのあふれのようなもの
あるいはこの世の外へとつづく
めずらかなキノコの行列のようなもの
春なのにあきらかにキノコキノコキノコのようなもの

5月**14**日
そしてついに
駒沢給水塔への道
歩行の果て、不意にあらわれた
そこだけ赤錆びたような古いどっしりした塔

驚くべきことに、案内板に
かつては丘上の王冠塔と呼ばれていた
とある、つまり私は毒のある花冠に導かれてここまで来たのだ
非馥郁と
導かれて

20年前、許されて私はその塔の下を歩きまわり、詩について語った
詩もまた美しいひとつの廃墟ですね
詩人はそのまわりをただぐるぐるとまわるだけ
と語った、あれから幾星霜

駒沢給水塔への道
眼底からは何かしら黒揚羽が飛び立っていった

剥き出しの私たちには
もしかしたら油脂の殻さえないかもしれない
ただの破片のようにころがり
どこかべつの星のような強烈な光を浴びて
叫びを上げ、あるいは沈黙に口を歪め、涙も出ないでいる私たち

出口はあるのだろうか
ない、たぶん
ここ自体が非常口なのだ、未来永劫にわたって
非常口なのだ

――いつか死ぬことと、いま生きていることと、どちらが確実ですか？
――いつか死ぬことと、いま生きていることと、どちらもひとしく確実であり、不確実です、仏たちの顔もウイルスを縁取る花冠も、ヒヤシンスの紫に如かないのですから。

尽き果て
という言葉が浮かぶ
私もまた何かの尽き果て、にすぎないが
その尽き果てがどこまでもどこまでもつづくのだ
幼時の無上の陽だまりのような
ああもう産道でも参道でもいい、尽き果ての
うつくしい狭窄のなか、私も逆立ちしてダンスダンスしたいよ
バッカスの滓かかえ
弥勒のフルフル吹きはらし

さかのぼるが
5月25日
緊急事態宣言が解除された

第三信　杉中→野村

野村さん。「コロナ　第二信」およびコロナ実践「花冠日乗抄」楽しく拝読しました。野村さんは、書いています。「花冠は新型コロナ・ウイルスのことですが、コロナは正確には光冠です。皆既日食のときに黒い太陽を縁取る光の冠。でもぼくはウイルスに光という属性を与えたくなかったので、花冠としました。」光とは、永遠のもの、確固たるもの、というようなイメージでしょうか。一方の花は、枯れるもの、萎れるもの、崩れやすいものといったイメージでしょうか。光が、永遠で普遍的なものであるのに対し、花は移ろいやすいもの、壊れやすいものです。

野村さんは「花冠日乗抄」で、「毒のある花冠」とも書かれています。コロナは毒である。また、「惑星の裏手で待つ未知の波濤」という詩句もあります。コロナは、あるいは、コロナ以降は、未知である。ですが、コロナには、二面性があると思います。花は、枯れ萎れますが、実を結びます。花は死んで、実を残します。毒といえば、デリダのファルマコンでしたか、ギリシャ語では、毒は薬でもあるという。花は、コロナは、萎れ、滅びますが、実を結びます。それは、ベンヤミンの廃墟と天使のように、破壊が、何かの創造につながるというようなイメージでもあります。コロナは、花であり、光でもある、と言えるのではないでしょうか。コロナが毒でありながら、薬でもあるとするなら、コロナは花でありながら、光でもある。そこにコロナの不安の正体があるのではないか。野村さんは書いています。「おまえはおまえの不安を駆れ」と。コロナが花であり、毒であり、未知であるなら、不安は小さいでしょう。むしろ、コロナは、花でありながら光であり、毒でありながら薬であり、未知でありながら既知であるということが私たちを不安にするのではないか。コロナが薬である、というのは比喩です（悪い比喩です）が、コロナが将来薬にならない、とは必ずしも言い切れない。例えば、私たちに進化を齎すものを薬と考えるなら、私たちは、物凄く巨大な視点を取るなら、コロナによって進化するかもしれない。進化を齎すものを薬ということに異論があるかもしれませんが、コロナによって、私たちの、生命や、経済や、健康が破壊されたわけですが、そこから、この廃墟から、何かが、天使によって、創造されるかもしれない。長期的な目で見なくてはなりませんが、コロナは、野村さんが忌避した、「光」であるのかもしれない。コロナが私たちの内部に組み込まれて、永遠に、生き続けるのかもしれない。そして、それらのことは、コロナ以降でさえも、未知でありながら、すでに私たちは知っていたのかもしれない。

私は、ある映画のワンシーンを思い出していました。確か『ベン・ハー』という映画だったと思いますが、捕えられたベン・ハーが、キリストに会うシーンです。伝染病に罹った夥しい人々が、隔離施設で、横たわっている。彼らは、積極的な治療を施されず、ただそこに横たわり、いずれ訪れる死を待っている。そこに、イエスが現れる。なぜ、その隔離施設をイエスが訪問したのかは、忘れましたが、イエスは、横たわる患者たちの間を、歩いて行く。患者に声を掛けながら、あるいは、患者に触れながら。すると、イエスに触れた患者たちは、誰もが、清められ、立ち上がって、イエスに感謝します。囚われ人のベン・ハーは、そのイエスの奇跡を目撃している。野村さん、この映画のワンシーンのベン・ハーは、私たちの用語で言えば、詩人です。ベン・ハーは詩人の立場で、イエスの奇跡に立ち会っている。私たち詩人の使命は、このようなものではないか。私たち詩人が、コロナを癒すことはできない。私たち詩人には、コロナを治癒することはできない。ただ、私たち詩人は、その現場にいて、目撃者となるのです。そして、その目撃譚を詩にする。

野村さんは書いています。「『花冠日乗』にはかなりの数の草花が登場し、ちょっとした植物誌の様相を呈していますが、コロナとの見えないネットワーク、つまりそれ自体が詩的なネットワークを組織しているかのごとくです。」私は、西脇順三郎の詩、長い詩を思い出しました。西脇の詩も、歩行し、散歩する、西脇が、長い長い詩行を、様々な植物で彩りながら、歩いていきます。西脇の詩も、何か、諦めのような、「失われた時」(一九六〇)というように、失われた感じ、喪失感が、あるようにも思います。メタファーによって、何かが失われ、喪失し、疎外されます。が、西脇の詩そのものは、私たちに齎されたもの、賜物です。メタファーが、破壊と喪失を齎すとするなら、メタファーによって、創造され、作り出されたものもまた同時に存在します。コロナがメタファーであるなら、それもまた、破壊であり創造であるでしょう。コロナは、花でありながら、光であり、毒でありながら、薬であり、未知でありながら、既知である。コロナは破壊でありながら、創造であるのではないか。

第四信　野村→杉中

杉中さん、そうなんです、「花冠日乗」を書いているあいだ、ずっと意識していたのは、西脇順三郎でした。とくに『旅人かへらず』。「花冠日乗」の連載第一回を読んだカニエ・ナハさんからも、なんとなく野村さんの『旅人かへらず』ですね、という感想がありましたから、わかる人にはわかるんですね。

西脇のこの詩集の刊行は戦後の一九四七年ですが、じっさいの執筆時期はおもに戦時中であったとされます。戦時中、大多数の詩人が戦争協力に流れるなかで、私見によれば、西脇はひとり沈黙を通し、世捨て人をよそおいながら、実は怒りや不安を鎮めるために、独特の「散歩の詩学」にもとづく『旅人かへらず』の詩作をすすめていったのではないでしょうか。もちろん、戦争はテクストのおもてにはあらわれません。むしろ注意深く隠され、杉中さんの指摘するように、諦念や喪失感のもとに「存在の淋しさ」というメタファーが組織されていきますが、つまりそれがそのまま、いわば裏返しの「目撃譚」となっているわけです。大詩人の作品になぞらえるのはおこがましいかぎりですけど、ぼくは、コロナ散歩――コロナ禍のなかでぼくは、不安を紛らすためにやたら散歩しまくりましたが、それをコロナ散歩と名づけました――を始めながら、いつしか、ぼくなりの「旅人かへらず」を書いてみたいと思うようになったのです。フローラすなわち植物に関する記述をことさらに意識したのも、西脇のひそみにならって、というモチーフが多分に働いたわけです。

もっとも、社会的コミットメントを最小限にとどめた『旅人かへらず』に比べると、この「花冠日乗」はまだずいぶん生臭くみえるかもしれませんが。

また、「花冠日乗」の終わり近くの対話パート、「いつか死ぬことと、いま生きていることと、どちらもひとしく確実であり、不確実です、仏たちの顔もウイルスを縁取る花冠も、ヒヤシンスの紫に如かないのですから」に出てくる「ヒヤシンスの紫」も、西脇詩学への間接的な参照があります。つまり西脇なら、「私の道は九月の正午/紫の畑に尽きた/人間の生涯は/茄子のふくらみに写っている/すべての変化は/茄子から茄子へ移るだけだ」となるところですが、そのままというわけにもいかないので、「ヒヤシンスの紫」に変えたわけです。

さて、コロナは、そしてコロナ後の世界はどうなるのでしょう。専門家の意見を総合すれば、コロナ自体は第二波、第三波と流行の波を繰り返しながら、次第に収束していくのでしょう。数年後にはワクチンや特効薬もできて、インフルエンザと同じレベルか、あるいはそれ以下の、普通の風邪ぐらいになってしまっているかもしれません。そうして次第にこのパンデミック自体が忘れられてゆく。これからは私の予感ですが、それと入れ替わるように、利潤と効率の追求が、テクノロジーの進化が、またそれらによる地球環境の破壊が、格差や分断の社会が、あるいはディストピア的な超監視社会が、さらに進行することでしょう。ところが、ホラー映画の結末のどんでん返しみたいですが、次なる新型ウイルスがもうすでにどこかにひそみ、近い将来、人類との接触を楽しみに待機しているのではないか。そういう恐れは拭えません。地球をここまでタイタニック号状態にしてしまった人類に、そんなに明るい未来は思い描けないということです。しかし同時に、杉中さんが示唆したように、コロナがファルマコンでありうるなら、わずかな希望を持つことができるかもしれません。杉中さんの言う「コロナが私たちの内部に組み込まれ」るということ、それはぼくなりにパラフレーズすれば、つまりコロナが私たちの想像力と結びつくということですが、そうなれば、自然との調和を図っていく人、ハイデガー風にいうならまさに「詩人的に住まう」人が多少ともふえ、強欲な者たちの——彼らも必要悪ではあるのでしょうが——一元的支配を揺るがすようなオルタナティヴを形成するかもしれません。

〈パラタクシス実践〉一覧

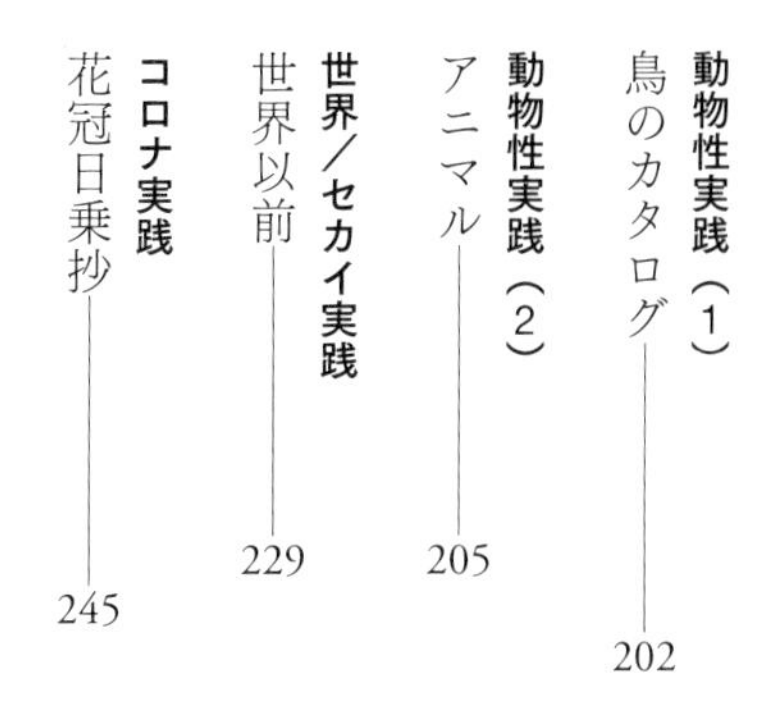

参考文献

序文

朝吹亮二『アンドレ・ブルトンの詩的世界』(慶應義塾大学出版会、二〇一五)

1　パラタクシス

テオドール・W・アドルノ「パラタクシス――ヘルダーリン後期の抒情詩に寄せて」(『文学ノート2』三光長治ほか訳、みすず書房、二〇〇九)
野村喜和夫「くねる日付/ダンスダンス」(『アダージェット、暗澹と』、思潮社、一九九六)
野村喜和夫『散文センター』(思潮社、一九九六)
『ヘルダーリン詩集』(川村二郎訳、岩波文庫、二〇〇二)
ショシャナ・フェルマン『狂気と文学的事象』(水声社、一九九四)
野村喜和夫『二十一世紀ポエジー計画』(思潮社、二〇〇一)
建畠晢「テラス異聞」(『そのハミングをしも』、思潮社、一九九三)
鈴木志郎康「月」(『現代詩文庫22　鈴木志郎康詩集』、思潮社、一九六九)
仲正昌樹『危機の詩学――ヘルダリン、存在と言語』(作品社、二〇一一)

2　浮動性
中沢新一『雪片曲線論』(青土社、一九八五)
テオドール・W・アドルノ『否定弁証法』(木田元訳、作品社、一九九六)
ボルヘス「砂の本」(『砂の本』篠田一士訳、集英社、一九八〇)
『マラルメ全集I』(菅野昭正他訳、筑摩書房、二〇一〇)
ヴァルター・ベンヤミン『来たるべき哲学のプログラム』(道籏泰三訳、晶文社、一九九二)

3　子供の詩
斧谷彌守一『言葉の現在――ハイデガー言語論への視角』(筑摩書房、一九九五)
村上春樹『海辺のカフカ』(新潮社、二〇〇二)
野村喜和夫『稲妻狩』(思潮社、二〇〇七)
野村喜和夫「(ほら、遅い春の午後なんかに――)」(『難解な自転車』、書肆山田、二〇一二)
ヴァルター・ベンヤミン「子供の本を覗く」(『ベンヤミン・コレクション②』浅井健二郎編訳、ちくま学芸文庫、一九九六)

4　中間休止
ジル・ドゥルーズ『差異と反復』(財津理訳、河出書房新社、一九九二)
パウル・ツェラン『息のめぐらし』(『死のフーガ　パウル・ツェラン詩集』、飯吉光夫訳、思潮社、一九七二)
野村喜和夫「息吹節」(『現代詩文庫141　野村喜和夫詩集』、思潮社、一九九六)
エルンスト・ブロッホ『未知への痕跡』(菅谷規矩雄訳、イザラ書房、一九六九)
フリードリヒ・ヘルダーリン「『オイディプス』への注解」(『ヘルダーリン全集4』手塚富雄責任編集、河出書房新社、一九六九)

フリードリヒ・ヘルダーリン「『アンティゴネー』への注解」（『ヘルダーリン全集4』手塚富雄責任編集、河出書房新社、一九六九）
入澤康夫『わが出雲・わが鎮魂』（『入澤康夫〈詩〉集成』、青土社、一九九六）
岡野弘彦・三浦雅士・長谷川櫂『歌仙　一滴の宇宙』（思潮社、二〇一五）

5　ストレッタ

パウル・ツェラン「死のフーガ」（『パウル・ツェラン詩文集』、飯吉光夫訳、白水社、二〇一二）
松本邦吉『市街戦もしくはオルフェウスの流儀』（書肆山田、一九八二）
「年間詩集評　天沢退二郎　荒川洋治　松浦寿輝」（『現代詩手帖』一九八三年一二月号、思潮社）
藤井貞和「寝物語」（『現代詩文庫104　続・藤井貞和詩集』、思潮社、一九九二）
パウル・ツェラン「ストレッタ」（『パウル・ツェラン詩文集』、飯吉光夫訳、白水社、二〇一二）
吉増剛造「空からぶらさがる母親」（『現代詩文庫41　吉増剛造詩集』、思潮社、一九七一）

6　ルサンブランス

入澤康夫「類似」（『入澤康夫〈詩〉集成』、青土社、一九九六）
野村喜和夫「あるいは他の茎」（『スペクタクル』、思潮社、二〇〇六）
入澤康夫「夜」（『入澤康夫〈詩〉集成』、青土社、一九九六）
入澤康夫「死んだ男」（『入澤康夫〈詩〉集成』、青土社、一九九六）
ジャン＝リュック・ナンシー『肖像の眼差し』（岡田温司ほか訳、人文書院、二〇〇四）
入澤康夫「その国」（『入澤康夫〈詩〉集成』、青土社、一九九六）
ランボー「母音」（『ランボオ全詩』、粟津則雄訳、思潮社、一九八八）

7　メシア

サミュエル・ベケット「死せる想像力よ想像せよ」(『ベケット短編集』片山昇訳、白水社、一九七二)
吉岡実「想像力は死んだ　想像せよ」(『吉岡実散文抄』、思潮社、二〇〇六)
瀬尾育夫「詩は死んだ、詩作せよ」(『われわれ自身である寓意』、思潮社、一九九一)
ヴァルター・ベンヤミン「歴史の概念について」(『ボードレール　他五篇』野村修訳、岩波文庫、一九九四)
パウル・ツェラン「テネブレ」(『死のフーガ　パウル・ツェラン詩集』飯吉光夫訳、思潮社、一九七二)
石原吉郎「やぽんすきい・ぼおぐ」(『石原吉郎全集Ⅰ』、花神社、一九八〇)
マルティン・ハイデガー『ヘルダーリンの詩の解明』(手塚富雄訳、理想社、一九五五)
ジル・ドゥルーズ『ニーチェ』(湯浅博雄訳、朝日出版社、一九八五)

8　聖なるもの

ジョルジュ・バタイユ『無頭人』(兼子正勝ほか訳、現代思潮新社、一九九九)
『新約聖書　使徒のはたらき』(塚本虎二訳、岩波書店、一九七七)
入澤康夫『漂ふ舟　わが地獄くだり』(『入澤康夫〈詩〉集成』、青土社、一九九六)
ジェラール・ド・ネルヴァル『シルヴィー』(『火の娘たち』、入澤康夫訳、筑摩書房、二〇〇三)
野村喜和夫『オルフェウス的主題』(水声社、二〇〇八)
ジョルジュ・バタイユ『詩と聖性』(山本功ほか訳、二見書房、一九七一)
ジョルジョ・アガンベン『ホモ・サケル』(高桑和巳訳、以文社、二〇〇三)
野村喜和夫「ミミズ」(『薄明のサウダージ』、書肆山田、二〇一九)
『ルネ・シャール詩集　評伝を添えて』(野村喜和夫訳著、河出書房新社、二〇一九)
野村喜和夫「薄明のサウダージ異文状片第四番(復活)」(『薄明のサウダージ』、書肆山田、二〇一九)
中原中也「言葉なき歌」(『新編中原中也全集　第一巻詩Ⅰ』、角川書店、二〇〇〇)

9 黙示録

『吉岡実散文抄』（思潮社、詩の森文庫、二〇〇六）
サミュエル・ベケット『ベケット短編集』（片山昇訳、白水社、）
瀬尾育生『われわれ自身である寓意』（思潮社、一九九一）
野村喜和夫『危機を生きる言葉——2010年代現代詩クロニクル』（思潮社、二〇一九）
「ヨハネの黙示録」（『新約聖書』、聖書協会共同訳、日本聖書教会、二〇一八）
小泉義之『ドゥルーズの霊性』（河出書房新社、二〇一九）
石原吉郎「半刻のあいだの静けさ——わが聖句」（『石原吉郎全集II』、花神社、一九八〇）
野村喜和夫『風の配分』（水声社、一九九九）
広瀬大志『魔笛』（思潮社、二〇一七）
野村喜和夫「煉獄エチカ」（『幸福な物質』、思潮社、二〇〇二）
望月遊馬『水辺に透きとおっていく』（思潮社、二〇一五）

10 トランジット

野村喜和夫「拓かれた空間のために」（『デジャヴュ街道』、思潮社、二〇一七）
吉増剛造「オシリス、石ノ神」（『オシリス、石ノ神』、思潮社、一九八四）

11 メタファー

ジェイムズ・ジョイス『フィネガンズ・ウェイク1』（柳瀬尚紀訳、河出書房新社、二〇〇四）
野村喜和夫『危機を生きる言葉——2010年代現代詩クロニクル』（思潮社、二〇一九）
野村喜和夫＋阿部嘉昭＋桑田光平＋カニエ・ナハ「世界を描くための喩」（『現代詩手帖』二〇二〇年二月号、思潮社）

阿部嘉昭『換喩詩学』（思潮社、二〇一四）
野村喜和夫「淡島」（『草すなわちポエジー』、書肆山田、一九九六）
野村喜和夫「デジャヴュ街道」（『特性のない陽のもとに』、思潮社、一九九二）
吉本隆明「喩法論」（『マス・イメージ論』、講談社文芸文庫、二〇一三）
谷川俊太郎「鳥羽Ⅰ」（『谷川俊太郎詩集』、角川書店、一九六八）
千葉雅也＋松本卓也「〈実在〉の時代の思想と病理」（『現代思想』二〇一九年五月臨時増刊号）

12　動物性

ルドヴィヒ・ティーク『長靴をはいた猫』（大畑末吉訳、岩波書店、一九八三）
フーゴー・バル「ガジ・ベリ・ビンバ」（『チューリッヒ　予兆の十字路』土肥美夫編、国書刊行会、一九八七）
入澤康夫『わが出雲・わが鎮魂』（『入澤康夫〈詩〉集成』、青土社、一九九六）
入澤康夫『牛の首のある三十の情景』（『入澤康夫〈詩〉集成』、青土社、一九九六）
ジル・ドゥルーズ＋フェリックス・ガタリ『千のプラトー』（宇野邦一ほか訳、河出書房新社、一九九四）
ジョルジョ・アガンベン『開かれ――人間と動物』（岡田温司ほか訳、平凡社、二〇一一）
ジャック・デリダ「二重の会」（『散種』、藤本一勇ほか訳、法政大学出版局、二〇一三）
ステファヌ・マラルメ「ベルギーの詩友たちの追想」（『マラルメ全集Ⅰ』、菅野昭正他訳、筑摩書房、二〇一〇）

14　世界／セカイ

松本邦裕『対象関係論を学ぶ――クライン派精神分析入門』（岩崎学術出版社、一九九六）
藤田博史『精神病の構造』（青土社、一九九五）
前島賢『セカイ系とは何か』（星海社、二〇一四）
野村喜和夫『危機を生きる言葉――2010年代現代詩クロニクル』（思潮社、二〇一九）
鈴木和成『書簡で読むアフリカのランボー』（未来社、二〇一三）

粕谷栄市「世界の構造」(『現代詩文庫67 粕谷栄市詩集』、思潮社、一九七六)
文月悠光『適切な世界の適切ならざる私』(思潮社、二〇〇九)
最果タヒ『死んでしまう系のぼくらに』(リトルモア、二〇一四)
マルクス・ガブリエル『なぜ世界は存在しないのか』(清水一浩訳、講談社選書メチエ、二〇一八)
カンタン・メイヤスー『有限性の後で』(千葉雅也・大橋完太郎・星野太訳、人文書院、二〇一六)
井筒俊彦『意識と本質』(岩波書店、一九八二)
丸山圭三郎『言葉・狂気・エロス』(講談社現代新書、一九九〇)
ステファヌ・マラルメ『賽の一振り』(『マラルメ全集I』、清水徹訳、筑摩書房、二〇一〇)
シオラン『生誕の災厄』(出口裕弘訳、紀伊國屋書店、一九七六)
ブルトン+エリュアール『処女懐胎』(服部伸六訳、思潮社、一九七一)
夏目漱石『門』(新潮文庫、一九八四)
西脇順三郎『失われた時』(『西脇順三郎全集II』、筑摩書房、一九七一)

番外　コロナ

野村喜和夫『花冠日乗』(白水社、二〇二〇)
ヴァルター・ベンヤミン「歴史の概念について」(『ベンヤミン・コレクション①』、浅井健二郎編訳、ちくま学芸文庫、一九九五)
ジャック・デリダ「プラトンのパルマケイアー」(『散種』藤本一勇ほか訳、法政大学出版局、二〇一三)
西脇順三郎「失われた時」(『西脇順三郎全集II』、筑摩書房、一九七一)
西脇順三郎『旅人かへらず』(『西脇順三郎全集I』、筑摩書房、一九七一)
西脇順三郎「茄子」(『西脇順三郎全集II』、筑摩書房、一九七一)

あとがき

この往復書簡には日付がない。うっかりしていたのか、あえて日付をつけなかったのか。メールでのやりとりなら自動的に日付が残ってしまうが、われわれは郵送という時代錯誤的手段を利用したのだった。いつ始まり、いつ終わったのかということに無頓着なのも、あるいはこの「パラタクシス詩学」にふさわしいかもしれないと考える。

往復書簡自体のやりとりはこんな感じだった——ある日、予告もなしに、小樽の杉中昌樹からしかじかのコンセプトを記した手紙が届く。それを受けて私は詩作に取りかかるわけだが、ちょうど締め切りの仕事を抱えていたりして、すぐに詩作に入れないこともある。場合によっては、ひと月ふた月書けないまま時がすぎてしまう。逆に、コンセプトを受け取った翌日に書けてしまうこともあり、要するにすべてが不定で非限定なのだ。だからこの「パラタクシス詩学」は、本来未完であり、あるいは未完のまま放置されて、後年誰かに発見されたりして然るべきだったかもしれない。

日付をもたないことは、じつは深い意味をもつ。こんにち行われている詩論のほとんどは状況論である。いまの時代を反映しているとかいないとか、詩として時代に対峙しているとかいないとか、こういう時代に詩はこうあるべきだとか、こう書かれるべきだとか。言い換えれば、日付そのもののような論が多い。昨日には存在し得ず、また明日には消えてしまうような論が。

そういう詩論の現状に、この『パラタクシス詩学』は一石を投じたいのである。もちろん私たちは陳腐な普遍性や永遠性を対置したいわけではない。ただ、詩論はもう少し開かれてあるべきだと思うのである。そう、詩の業界にだけ通じる状況論にガラパゴス化してしまうのではなく。これがわれわれのスタンスだ。さらに言えば、そういうサークルでは、どうやら私の詩はあまり理解されないようだ。反面、望外にも海外では評価されたりもするので、いつだったか、そのあたりのちぐはぐな事情に杉中さんが反応してくれて、私の詩を世界文学や現代思想への開かれのなかに位置づけたいという思いを語ってくれたこともある。本書成立への隠れたモチーフかもしれない。

また、本書には、往復書簡による詩と詩論の融合というジャンル的な目新しさもあるかと思う。散文に詩が混じり、論がすすんでゆく。一種の歌物語といえるか。主に私が詩を、杉中が詩論を担ったわけだが、もちろん双方向的に、詩論は詩において生かされ、詩は詩論へと還流してゆく。ひとりの場合でもそれは起こり得るが、本書の場合、ふたりの共同作業がそれをより可視的なものとしたのである。そういう意味では、杉中も序文でたとえているように、俳諧の付け合いに近いものがあるかもしれない。

出版に際しては、水声社社主、鈴木宏さんのご厚意を得た。現代詩を外へと開くための、これ以上はない場を与えられたことになる。編集は廣瀬覚さんのお世話になった。記して感謝申し上げたい。

野村喜和夫

著者について――

野村喜和夫（のむらきわお）　一九五一年、埼玉県に生まれる。現代詩の先端を走り続ける詩人、批評家。主な詩集に、『現代詩文庫・野村喜和夫詩集』（思潮社、一九九六）、『風の配分』（水声社、一九九九、高見順賞）、『ニューインスピレーション』（書肆山田、二〇〇三、現代詩花椿賞）、批評に、『オルフェウス的主題』（水声社、二〇〇八）、『移動と律動と眩暈と』（書肆山田、二〇一一）、『萩原朔太郎』（中央公論新社、二〇一一、前者とともに鮎川信夫賞）などがある。

杉中昌樹（すぎなかまさき）　一九六一年、小樽市に生まれる。詩人、批評家。詩誌『詩の練習』主宰。主な著書に、『野村喜和夫の詩』（七月堂、二〇一七）がある。

装幀——宗利淳一

パラタクシス詩学

二〇二一年一二月一五日第一版第一刷印刷　二〇二一年一二月二五日第一版第一刷発行

著者——野村喜和夫＋杉中昌樹

発行者——鈴木宏

発行所——株式会社水声社

東京都文京区小石川二—七—五　郵便番号一一二—〇〇〇二

電話〇三—三八一八—六〇四〇　FAX〇三—三八一八—二四三七

［編集部］横浜市港北区新吉田東一—七七—一七　郵便番号二二三—〇〇五八

電話〇四五—七一七—五三五六　FAX〇四五—七一七—五三五七

郵便振替〇〇一八〇—四—六五四一〇〇

URL : http://www.suiseisha.net

印刷・製本——ディグ

ISBN978-4-8010-0617-1